LA COURONNE DE SANTINA

Scandales et passions au sein d'une principauté

Un scandaleux mariage

Alessandro. Allegra. Il est appelé à régner un jour. Elle est la plus célèbre des jet-setteuses. Leur histoire d'amour défraie la chronique, et leur mariage scandalise le gotha.

Deux clans que tout sépare…

Les Santina. Les Jackson. Les premiers, fiers de leur lignée, sont issus de la plus haute aristocratie. Les seconds appartiennent au monde des affaires et du luxe. A priori, ils n'ont rien en commun.

… liés par la passion

Ils sont pourtant prêts à renoncer à tous leurs privilèges … par amour!

La Tribune de Santina

Mariage et scandales à la principauté

A peine annoncées, les noces princières d'Alessandro et Allegra créent la polémique !

Depuis la publication officielle des bans du mariage qui unira Son Altesse Royale le prince Allessandro à la sublime Allegra Jackson, la principauté de Santina est devenue le centre du monde. Tous les médias de la planète ont accouru sur l'île de Santa Maria où se tiendront les festivités, pour assister à ce qui s'annonce comme l'événement de la décennie, voire du siècle ! Mais tandis que des messages de félicitations affluent de tous les continents et que les sujets de la Couronne se réjouissent de ce conte de fées contemporain, de mauvaises langues, au sein même du gotha, s'élèvent déjà pour dénoncer une mésalliance – fustigeant le clan Jackson, la famille de la future princesse, dont les frasques ont maintes fois fait la une de la presse à sensation. Une source proche des Santina prétend que des dissensions sont déjà apparues entre certains membres des deux familles, et souligne l'impossible conciliation entre les valeurs aristocratiques de notre prince et les origines roturières de sa promise. Ces critiques au vitriol réussiront-elles à assombrir le bonheur des fiancés ? Ou pire, les feront-elles renoncer à leur engagement ? Nous le saurons très vite...

L'enfant secret du cheikh

LES SANTINA

Eduardo Santina — Zoe Thetis

Alessandro Santina
(1979)

Matteo Santina
(1982)

Natalia Santina
(1985)

Carlotta Santina
(1985) ◇◇◇◇ Luca
(2007)

Sophia Santina
(1991)

Mariage légal
Liaison
Enfants
Enfants illégitimes

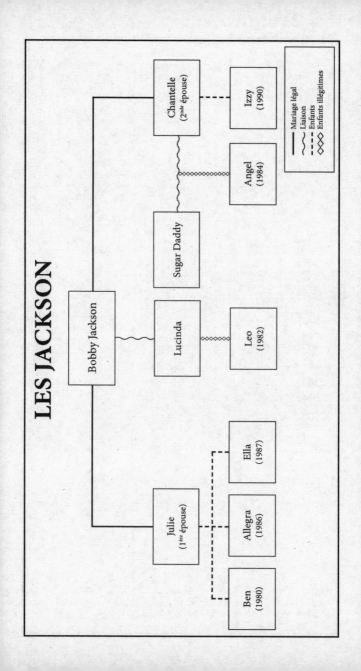

LES JACKSON

Bobby Jackson

Julie (1ère épouse)

Chantelle (2nde épouse)

Lucinda

Sugar Daddy

Ben (1980)

Allegra (1986)

Ella (1987)

Leo (1982)

Angel (1984)

Izzy (1990)

Mariage légal
Liaison
Enfants
Enfants illégitimes

SHARON KENDRICK

L'enfant secret du cheikh

collection *Azur*

éditions HARLEQUIN

Collection : Azur

*Cet ouvrage a été publié en langue anglaise
sous le titre :*
THE SHEIKH'S HEIR

Traduction française de
LOUISE LAMBERSON

HARLEQUIN®
est une marque déposée par le Groupe Harlequin
Azur® est une marque déposée par Harlequin S.A.

Toute représentation ou reproduction, par quelque procédé que ce soit, constituerait une contrefaçon sanctionnée par les articles 425 et suivants du Code pénal.
© 2012, Harlequin Books S.A. © 2013, Traduction française : Harlequin S.A.
83-85, boulevard Vincent-Auriol, 75646 PARIS CEDEX 13.

Service Lectrices — Tél. : 01 45 82 47 47
www.harlequin.fr
ISBN 978-2-2802-7933-8 — ISSN 0993-4448

1.

Cette fichue soirée ne finirait donc jamais ?

Réfugié dans l'antichambre faiblement éclairée du palais de Santina, cheikh Hassan Al Abbas se tourna vers son fidèle assistant en soupirant.

— Pensez-vous que je peux m'éclipser et les laisser s'amuser sans moi, Benedict ?

En réalité, Hassan savait très bien ce que celui-ci allait répondre, avec son tact et sa politesse tout anglaise.

— Votre absence ne manquerait pas d'être remarquée, Altesse, commença son assistant. Vous êtes l'un des invités les plus prestigieux… En outre, votre ami le prince Alex se sentirait sans doute offensé de constater votre départ, alors que l'on célèbre ses fiançailles.

Hassan serra les poings en refoulant le désir d'ôter sa veste de smoking ajustée. Il aurait de loin préféré porter l'une de ses robes habituelles, à même la peau, et galoper dans le désert en sentant le vent lui fouetter le visage. Au lieu de cela, il était contraint de rester confiné dans ce palais.

— Et si je suis persuadé que toute cette histoire n'est qu'hypocrisie et superficialité ? répliqua-t-il d'une voix glaciale. Si je pense qu'Alex est sur le point de commettre la plus grosse erreur de sa vie ?

— Il est rare que deux hommes tombent parfaitement d'accord lorsqu'il s'agit des femmes, avança Benedict avec sa diplomatie coutumière. Quant à la question du mariage…

— Ce n'est pas seulement le choix regrettable d'Alex que je désapprouve ! s'exclama Hassan.

Toute l'irritation qui couvait en lui jaillit soudain. Tous les reproches qu'il avait accumulés depuis que son plus vieil ami, le prince Alessandro Santina, avait annoncé qu'il allait épouser Allegra Jackson.

— Le pire, c'est qu'il ait abandonné celle à qui il était promis depuis toujours ! Une femme de noble naissance, qui aurait fait une bien meilleure épouse pour lui.

— Son amour est peut-être trop fort…

— Son *amour* ? coupa Hassan.

Un goût d'amertume lui monta aux lèvres tandis qu'une douleur brève mais intense lui étreignait le cœur. Mieux que quiconque, il savait que l'*amour* n'était qu'une illusion, un terrible leurre, susceptible d'anéantir des vies entières.

— Les gens parlent d'*amour* alors qu'en réalité, il ne s'agit que d'assouvir de simples besoins sexuels, poursuivit-il avec dédain. Et un futur dirigeant ne peut pas se laisser dominer par les exigences de sa libido. Le devoir doit passer avant son désir.

— Oui, Altesse, approuva Benedict.

Hassan secoua la tête avec incrédulité.

— Vous rendez-vous compte que le futur beau-père d'Alex est un sordide ex-footballeur qui collectionne éhontément épouses et maîtresses ?

— J'ai entendu dire quelque chose de ce genre, en effet.

— Je n'arrive pas à croire qu'Alex puisse envisager de se marier avec l'un des membres d'une famille aussi peu recommandable ! Avez-vous vu comment ils se sont conduits tout à l'heure ? Ils avalent le champagne comme si c'était de l'eau ! Quant à leurs excentricités, je préfère ne pas en parler…

— Altesse, je…

— Cette Allegra ne peut pas devenir l'épouse d'un prince héritier !

Hassan frappa du plat de la main sur un guéridon dont le bois précieux vibra sous le choc.

— C'est une traînée ! continua-t-il. Tout comme sa mère et ses sœurs ! Avez-vous assisté à ce pitoyable spectacle qui m'a poussé à fuir, Benedict ? Lorsque sa sœur est montée sur le podium et a voulu chanter ?

— Oui, Altesse, je l'ai vue, dit doucement son assistant. Mais le prince héritier a pris sa décision : il épousera Mlle Jackson, et je ne crois pas que quiconque puisse le faire changer d'avis — pas même vous.

Benedict haussa les sourcils de façon imperceptible.

— Ne pensez-vous pas que vous devriez maintenant aller rejoindre les invités, Altesse ? Avant qu'on ne commence à spéculer sur votre absence…

Hassan leva la main pour le faire taire et tendit l'oreille en se raidissant. Avait-il bien entendu un léger bruit, provoqué par quelque chose, ou *quelqu'un* ? Après ces mois passés au combat, percevait-il du danger partout ?

— Avez-vous entendu quelque chose, Benedict ?

— Non, Altesse.

Après un bref silence, Hassan hocha la tête et se détendit un peu.

— Très bien, retournons à cette parodie de réception, et voyons si je peux trouver une partenaire acceptable avec qui danser.

Il éclata d'un rire sardonique.

— Une femme qui soit l'opposé d'Allegra Jackson et de sa famille de malotrus !

Comment *osait*-il s'exprimer ainsi ?

Ella attendit quelques minutes afin d'être sûre qu'il soit vraiment parti, puis étira ses membres ankylosés. Elle était restée trop longtemps sans bouger, dans une position inconfortable. En outre, elle avait retenu son souffle la plupart du temps, craignant de révéler sa présence.

A un certain moment, elle avait bien cru qu'il allait la découvrir. Mais, par chance, ce mâle arrogant avait pensé s'être trompé et était allé rejoindre les autres — non sans avoir insulté Allegra et Izzy, ainsi que toute la famille Jackson.

L'Anglais l'avait appelé *Altesse*, et de toute façon, à en juger par l'impériosité et l'arrogance de son ton, cet homme était visiblement un aristocrate. Sa voix profonde était empreinte d'un léger accent et il en émanait une autorité et une fierté certaines. Etait-il possible qu'il s'agisse de ce puissant cheikh dont tout le monde parlait ? Le plus vieil ami du futur marié, dont la venue avait provoqué tant de rumeurs et d'excitation, comme s'il avait été une vedette de cinéma ?

Ella se leva avec maladresse. Les perles incrustées dans le tissu de sa robe sophistiquée s'enfonçaient dans sa peau et ses boucles indomptables avaient sans doute besoin d'un sérieux coup de brosse… Il fallait à tout prix qu'elle s'arrange un peu avant de retourner se mêler aux invités. Pourtant, elle aurait donné n'importe quoi pour ne pas remettre les pieds dans l'immense salle de réception, où l'on célébrait les fiançailles de sa sœur Allegra avec le prince héritier de Santina.

N'était-ce pas ironique qu'elle s'en soit échappée pour les mêmes raisons que le cheikh ? Au moment où sa sœur Izzy était montée en titubant sur le podium, Ella avait eu envie de disparaître sous terre. Elle aimait beaucoup Izzy, mais pourquoi fallait-il toujours qu'elle se ridiculise ? Pourquoi vouloir chanter en public alors qu'elle n'avait *aucun* talent ?

Après s'être éclipsée, Ella était venue se réfugier dans la pénombre de cette antichambre, avant que le silence ne soit troublé par un bruit de pas se rapprochant. D'instinct, elle s'était cachée derrière un coffre imposant. Quelques instants plus tard, elle avait entendu la porte s'ouvrir et se refermer doucement, puis une voix d'homme pousser un juron, bref mais explicite. Cette voix profonde et teintée d'un léger accent qui, ensuite, avait massacré sa famille.

Mais, au fond, cet homme n'avait-il pas raison ? Son père, Bobby Jackson, en était à sa troisième épouse, et il s'était marié deux fois avec l'une de ses ex. Sans compter ses innombrables liaisons extraconjugales — celles dont parlaient les journaux et celles qu'il réussissait à garder secrètes.

La vie de sa mère n'avait-elle pas été gâchée par un attachement sans espoir à un homme incapable de fidélité ? Douce et stupide, elle n'avait jamais su voir le moindre défaut chez son mari volage, si bien qu'elle avait accepté de l'épouser deux fois, se laissant traiter comme un objet par son mari.

Pour connaître l'exemple à ne *pas* suivre en matière de relation amoureuse, Ella n'avait eu qu'à regarder vivre ses parents. Très vite, elle s'était juré de ne *jamais* permettre à aucun homme de se moquer d'elle ainsi.

Après s'être penchée pour ramasser son sac à main, elle en sortit son peigne aux dents larges, le seul qui puisse l'aider à discipliner un tant soit peu ses boucles rebelles.

A présent, elle pouvait allumer une lampe. Le cheikh ne reviendrait pas. Il était sans doute en train de danser avec une partenaire digne de lui… La pauvre, se dit Ella avec une compassion sincère. Danser avec un type doté d'un ego aussi gigantesque devait représenter une véritable torture !

Quand elle appuya sur l'interrupteur, une lumière dorée jaillit, dévoilant la splendeur majestueuse de la vaste antichambre. Après avoir exploré la pièce, Ella découvrit un miroir accroché au fond d'une alcôve. Reculant d'un pas, elle examina son reflet d'un œil critique.

Sa robe était un peu courte à son gré, mais les perles

argentées incrustées dans le tissu et la coupe audacieuse étaient tout à fait dans l'air du temps. Dans la profession d'Ella, le look était primordial. Ses clients à l'allure *flashy* désiraient rencontrer une professionnelle à leur image, et non une créature banale se fondant dans le décor. En tant qu'organisatrice d'événements ciblant la catégorie des nouveaux riches, Ella avait profité de la réputation de sa famille et, par conséquent, elle travaillait pour des gens fortunés, mais dont le goût était loin d'être très sûr.

Elle avait très vite appris les règles en vigueur dans ce milieu. Mais, de toute façon, le fait d'avoir grandi dans une atmosphère de scandales et souffert de la mauvaise réputation de sa famille lui avait appris à s'adapter quasiment à *tout* pour survivre.

Si un top model glamour voulait arriver à son mariage dans un carrosse couvert de strass étincelants, il s'attendait à ce que la personne qui organise l'événement étincelle tout autant. Alors, Ella éblouissait.

En plus de l'éternel rouge à lèvres vermillon accentuant sa grande bouche, elle arborait des tenues très tendance qui impressionnaient ses clients, et des chaussures dont les talons atteignaient parfois des hauteurs vertigineuses.

Mais ce n'était qu'une apparence. La vraie Ella restait en effet inaccessible à tous, dissimulée dans un lieu connu d'elle seule, où personne ne pouvait l'atteindre ou lui faire de mal. Débarrassée de tout clinquant, elle se métamorphosait en une autre femme lorsqu'elle rentrait chez elle. A ce moment-là, elle redevenait celle dont tout le monde s'était toujours moqué dans sa famille.

Ella aurait tant aimé se retrouver dans sa petite maison, sans maquillage, vêtue de son vieux jean et d'un T-shirt, avec de la peinture sous les ongles, au lieu de devoir supporter cette soirée interminable. Mais il s'agissait des fiançailles d'Allegra, soupira-t-elle avec résignation, aussi se devait-elle de faire un effort.

La situation était sans nul doute extraordinaire : une

Jackson allait épouser un prince héritier, le fils aîné de l'une des familles royales méditerranéennes les plus anciennes et les plus respectées — et la guerre était déclarée. Ne venait-elle pas de l'entendre confirmer par l'arrogant cheikh ? Les journalistes se tenaient à l'affût du moindre faux pas, jubilant à la perspective de raconter les mésaventures de la famille Jackson, qui entreprenait de frayer avec l'aristocratie.

Eh bien, Ella leur montrerait ce que valait une Jackson ! A tous. Leurs cruelles remarques ne l'atteindraient pas.

Se sentant soudain affreusement vulnérable, elle se mordit la lèvre. Elle travaillait dur, depuis toujours, et pourtant, à cause de son nom de famille, des gens la cataloguaient. Ils se figuraient sans doute qu'elle passait son temps à siroter du champagne et à faire la fête, alors que rien n'aurait pu être plus éloigné de la réalité.

Après avoir passé le peigne dans ses cheveux, Ella vérifia que son mascara n'avait pas coulé, puis appliqua une nouvelle couche de rouge à lèvres écarlate.

Ses boucles d'oreilles ondulaient en scintillant — même son ombre à paupières bleue était pailletée. Son armure étincelante en place, elle était prête à affronter les foules.

La musique et les voix se précisèrent peu à peu tandis que ses talons claquaient sur le sol de marbre du couloir. Ses escarpins neufs, noirs et vernis, mettaient ses jambes en valeur. En outre, les hauts talons argentés la forçaient à se redresser et à se tenir droite, et ce soir Ella en avait bien besoin.

Elle contempla l'immense salle de réception brillamment éclairée et emplie d'invités glamour, puis laissa errer son regard vers la piste de danse. Les couples dansaient, pressés les uns contre les autres. Des aristocrates se mêlaient à des stars de télévision, tandis que des footballeurs autrefois très connus et ayant travaillé avec son père étaient accoudés au bar. Ella aperçut plusieurs membres de sa famille qui semblaient s'amuser, avec un enthousiasme un peu trop manifeste… A côté de son père qui vidait une flûte de champagne, elle vit sa mère non loin de lui, son éternel sourire optimiste aux lèvres. En fait, elle s'inquiétait, comprit Ella, parce que son mari buvait trop. Ou parce qu'elle craignait qu'il n'aille draguer une jeune femme qui aurait pu être sa fille.

Pourvu qu'elle ne le laisse pas s'enivrer, songea Ella, et qu'il ne se mette pas en tête de courtiser la petite amie — ou la femme — d'un invité !

A cet instant, elle aperçut Izzy. Sa sœur dansait, collée à son partenaire d'une façon si indécente que, gênée, Ella détourna les yeux. Sachant que cela n'aurait servi à rien de tenter de raisonner sa sœur, elle promena son regard sur les danseurs avant de l'arrêter sur un homme qui se détachait de tous les autres à cause de sa haute taille et de son allure exotique.

Ella battit des paupières. Il y avait toutes sortes d'hommes somptueux dans la salle de réception, mais celui-ci attirait le regard. En fait, il semblait déplacé au milieu des autres invités, mais Ella aurait été incapable d'expliquer pourquoi. Certes, il était plus grand que la moyenne, son corps était particulièrement musclé mais, surtout, un charisme puissant et impérieux irradiait de lui.

Tout en retenant son souffle, Ella étudia son visage avec attention. De la cruauté se dégageait de ces traits arrogants, songea-t-elle avec un frisson. Ces yeux noirs semblaient vides, dénués de toute émotion, et un sourire cynique arrondissait sa bouche sensuelle tandis qu'il écoutait sa compagne, une blonde qui s'adressait à lui en redressant le menton.

C'était lui, Ella le comprit d'instinct. L'homme qui avait émis un jugement aussi brutal envers sa famille, dans l'antichambre où elle était dissimulée derrière le coffre.

Fascinée malgré elle, elle ne pouvait détourner son regard. Sa peau mate luisait doucement, comme si ses traits avaient été sculptés dans un métal précieux. Lorsqu'une ravissante femme à la chevelure rousse passa soudain à côté de lui, il baissa aussitôt les yeux sur son décolleté plongeant.

Il était l'incarnation même du danger et de la sensualité virile, songea Ella. A cet instant, il redressa la tête et s'immobilisa, puis ses yeux noirs balayèrent l'espace jusqu'à ce qu'ils se posent sur elle.

C'était un regard de *prédateur*. Ella eut l'impression d'être prise dans un faisceau aveuglant. Inexorablement, elle se sentit rougir, tandis qu'une douce chaleur naissait au fond de son ventre avant de se déployer dans tout son corps. Avait-il senti qu'elle le regardait ? Il fallait qu'elle détourne les yeux. Sur-le-champ. Mais Ella fut incapable de faire le moindre mouvement, comme si cet homme superbe lui avait jeté un sort.

Soudain, il haussa les sourcils d'un air à la fois interrogateur et arrogant. Puis, comme elle ne réagissait toujours pas, il se pencha pour murmurer quelque chose à l'oreille de la blonde.

Celle-ci se tourna vers Ella et la foudroya du regard tandis que l'homme s'éloignait d'elle pour s'avancer droit vers Ella. Elle devait fuir sans attendre, songea-t-elle. Quitter cet endroit avant qu'il ne soit trop tard…

Mais elle était toujours incapable de bouger. A présent, il se trouvait à deux mètres à peine et sa proximité devenait si troublante qu'Ella sentit le souffle se bloquer dans sa gorge. Il se rapprochait… Soudain, son aura l'enveloppa tandis que tous les autres invités se fondaient dans le néant.

Après s'être arrêté devant elle, il promena son regard sur son visage, puis, lentement, le laissa descendre sur son buste.

— Nous sommes-nous déjà rencontrés ? demanda-t-il.

Ella n'avait pas eu besoin d'entendre sa voix profonde pour être sûre qu'il s'agissait de l'inconnu de l'antichambre. Elle avait bien deviné qu'il était fier et arrogant, mais elle n'avait pas soupçonné qu'il puisse posséder un tel charisme. Ni qu'il produise un effet aussi puissant sur elle, à tel point qu'elle avait l'impression que son cerveau s'était vidé de toute pensée.

— Non, je ne crois pas, répliqua-t-elle d'un ton détaché.

Hassan observa les émotions qui parcouraient les traits de cette Madone au visage ovale. Elle l'avait observé en le déshabillant du regard ! Comme si elle était prête à déchirer ses vêtements, ici et maintenant… Son avidité avait fait place à de la méfiance, et à un embarras certain. Il sentait même un soupçon d'hostilité émaner de la jeune femme.

— Vous *croyez*… Vous n'en êtes pas sûre ? murmura-t-il.

En dépit de son accent, il parlait un anglais impeccable, constata Ella. Et sa voix passait sur sa peau comme une caresse de velours.

— Si, absolument, répondit-elle avec calme.

— Pourtant, vous me fixiez avec une telle insistance…

— N'avez-vous pas l'habitude d'être admiré par les femmes ? répliqua-t-elle avec innocence.

— Non, pas du tout, dit Hassan en réprimant un sourire.

Lorsqu'il baissa les yeux sur sa bouche d'un rouge provocant, il sentit le désir rugir en lui.

— Comment vous appelez-vous ?

Ella aurait préféré que ses seins cessent de frémir, et que la chaleur ne se propage pas ainsi, au plus profond de son intimité. Elle ne voulait pas ressentir de telles sensations face à un homme qui parlait des membres de sa famille comme s'ils étaient… des animaux.

Redressant les épaules, elle le regarda dans les yeux.

— Je m'appelle… Cinderella.

Très bien. Il était prêt à jouer à son petit jeu, songea Hassan en contemplant ses lèvres pulpeuses. Puis il le laissa glisser sur le corps mince et ferme de cette Cendrillon des temps modernes, moulée dans une robe qui mettait en valeur ses courbes ravissantes.

— Vraiment ? Dans ce cas, je crois que le conte de fées

est devenu réalité, Cinderella : vous venez de rencontrer votre prince charmant.

C'étaient les paroles les plus éculées qu'Ella ait jamais entendues et pourtant, elle ne put s'empêcher de sourire, tout en rougissant de plus belle.

Toutefois, elle ne succomberait pas aussi facilement. N'avait-elle pas appris, par l'exemple humiliant de son père, que les hommes étaient experts dans l'art de roucouler, sans penser un traître mot des fadaises qu'ils débitaient aux femmes assez stupides pour les croire ? Ella s'était juré de ne jamais faire partie de ces faibles créatures.

Elle redressa les épaules en se réjouissant d'avoir choisi des talons d'une hauteur ridicule. Grâce à eux, elle était presque aussi grande que lui.

— Ainsi, vous êtes un vrai prince ? lâcha-t-elle d'un ton moqueur.

— Oui.

Hassan sentit une légère irritation le gagner. Il ne s'était pas attendu à ce qu'elle s'incline devant lui, mais un peu de déférence ne lui aurait pas déplu.

— Je m'appelle Hassan, poursuivit-il avec fierté. Je suis cheikh, prince du désert.

— Ah !

Cette fois, il la contempla en plissant le front. Etait-ce bien du sarcasme qu'il avait perçu dans sa voix ? Non, impossible. Les gens étaient toujours impressionnés par son titre de cheikh. Etre séduite par un cheikh semblait même représenter le fantasme suprême aux yeux de la plupart des femmes occidentales qu'il avait rencontrées.

L'ambiguïté de la réaction de la jeune femme fit pulser le sang dans ses veines. Ses yeux bleus légèrement bridés lui firent penser à ceux d'un chat, et soudain une chaleur infernale l'envahit. Incapable de repousser la vision, il imagina ces mêmes yeux s'assombrir tandis qu'il s'enfonçait au plus profond de sa féminité.

— Et maintenant, je crois que nous sommes supposés danser, dit-il d'une voix rauque.

Lentement, il laissa glisser son regard sur ses jambes, jusqu'à ses pieds fins chaussés d'escarpins noirs à très hauts talons.

— Avant que vous ne disparaissiez au douzième coup de minuit, poursuivit-il, en abandonnant l'une de ces chaussures très sexy derrière vous.

Ella sentit son cœur battre la chamade. Bien sûr, elle savait que ses escarpins étaient sexy — aucune femme ne choisissait ce type de chaussures pour leur confort. Mais la façon directe de s'exprimer du cheikh produisait un effet étrange sur elle. Cet homme la prenait pour une créature qu'elle n'était pas. Il pensait qu'elle avait mis ces escarpins dans le but de se faire remarquer et d'attirer les hommes. Ce qui n'avait pas été son intention.

Une fois encore, Ella se dit qu'elle devait fuir cet homme. Mais son corps en décida autrement.

— Je n'ai pas très envie de danser, avoua-t-elle.

— Ah, mais c'est parce que vous n'avez jamais dansé avec moi, répliqua-t-il en lui prenant la main.

Il l'entraîna vers la piste.

— Dès que vous aurez essayé, vous changerez d'avis, croyez-moi.

Ella déglutit. Quelle arrogance, quelle présomption ! Le moment était venu de se dégager et de s'éloigner pour calmer les émotions déstabilisantes qui se bousculaient en elle.

Alors, pourquoi se laissait-elle conduire vers l'endroit où les lustres projetaient leur lumière sur le sol brillant ? Parce qu'elle savourait la sensation de cette main chaude enserrant la sienne. C'était aussi simple que cela. Ella se sentait légère et excitée, et son cœur battait à tout rompre, comme si elle venait de piquer un cent mètres.

Une vague de honte l'envahit : elle allait trahir sa famille en dansant avec un homme qui les méprisait.

Mais quand Hassan la prit dans ses bras, tout scrupule la déserta. Son corps viril était aussi chaud et aussi ferme qu'Ella l'avait imaginé.

Souviens-toi de tout ce qu'il a dit sur ta famille, se rappela-t-elle dans une sorte de brouillard confus.

— Vous sentez merveilleusement bon, murmura-t-il. Votre parfum ressemble aux senteurs d'une prairie chauffée par le soleil d'été.

Ella fit un effort pour redresser la tête et se concentra sur sa mâchoire.

— Que peut savoir un cheikh des prairies en été ?

— Des tas de choses. Quand j'étais jeune garçon, je venais chez Alex et parfois, nous allions en Angleterre, pour jouer au polo — nous étions tous les deux d'excellents joueurs. C'est là que j'ai découvert que le parfum de l'herbe fraîchement coupée était parmi les plus séducteurs au monde.

Hassan sourit dans ses cheveux.

— Surtout lorsqu'une jeune fille y est étendue, à moitié dévêtue.

Quand Ella sentit la douce caresse de ses doigts sur sa peau nue, elle comprit qu'il était grand temps de mettre un terme à cette situation embarrassante.

Levant son visage vers lui, elle lui adressa un sourire éblouissant, et complètement artificiel.

— Vous devez avoir été surpris de trouver *une partenaire acceptable avec qui danser*, dit-elle. Dois-je me sentir flattée ?

Surpris par ce brusque changement de sujet, Hassan la regarda en fronçant les sourcils. En outre, ses paroles avaient évoqué un vague souvenir en lui.

— Peut-être.

Il laissa glisser sa main sur son dos et effleura les boucles soyeuses qui ondulaient sur sa peau.

— Mais j'imagine que vous êtes habituée aux flatteries, ajouta-t-il.

— Etes-vous toujours aussi prévisible quand vous vous adressez à une femme ?

— Prévisible ? Vous désirez davantage d'originalité, Cinderella ?

Ses seins ronds se pressaient de façon provocante contre lui.

— Mais comment pourrais-je me montrer original avec une femme comme vous ? poursuivit-il. Que pourrais-je vous dire que d'innombrables hommes ne vous aient déjà dit ? Vous devez être lasse d'entendre que vos yeux prennent par moments la teinte d'un ciel d'été avant l'orage. Que vos cheveux sont plus doux et plus chatoyants que la soie… Que leurs reflets cuivrés y ajoutent un mystère dans lequel on sombre malgré soi…

Hassan pencha la tête et ferma les yeux en inhalant les délicieux effluves qui émanaient d'elle. Sans plus réfléchir, il la serra contre lui. Il la désirait, comme un fou. Cela faisait longtemps qu'il n'avait pas tenu une femme dans ses bras, songea-t-il. Et en avait-il jamais connu qui émette des messages aussi contradictoires que celle-ci…

Horrifiée, Ella fut bien forcée d'admettre qu'elle *avait envie* de s'abandonner à son étreinte. Elle sentait le cœur de Hassan battre, comme en écho au sien, et elle voulait croire ces paroles enchanteresses qu'il adressait sans doute à toutes les femmes — et qui ne signifiaient absolument rien.

— Hassan, commença-t-elle d'une voix mal assurée.

Il caressa son dos nu.

— Ou que vos lèvres sont les plus belles, les plus sensuelles que j'aie jamais vues, poursuivit-il. Dites-moi, ce rouge à lèvres a-t-il un goût de rose, de cerise ?

— Hassan, répéta-t-elle.

Sa voix n'avait été qu'un murmure.

— Oh… Que j'aime entendre mon prénom jaillir de votre ravissante bouche ! Dites-le encore. Dites-le comme si vous désiriez me demander une immense faveur, et voyons si je peux deviner en quoi consisterait cette faveur.

S'efforçant de rester insensible à l'érotisme contenu dans ses paroles, Ella s'écarta de lui.

— Que pensez-vous de la fiancée du prince Alessandro ?

Un déplaisir manifeste traversa les traits de son cavalier.

— Je ne pense pas que mon opinion vous intéresse vraiment, dit-il d'un ton sec.

— Vous vous trompez ! J'aimerais *beaucoup* la connaître.

Hassan recula. Elle était ravissante, mais elle franchissait une limite interdite. Ne comprenait-elle pas que lorsqu'il avait décidé qu'un sujet était clos, il était clos ? Et qu'en insistant de façon puérile, elle allait gâcher la soirée ? Il voulait danser avec elle, sentir sa peau satinée tressaillir sous ses doigts et ses seins frémir contre sa poitrine. Si elle cessait de faire l'enfant, il pourrait bien l'emmener dans son lit.

— Je crois qu'il vaut mieux ne pas s'attarder sur ce sujet, vous ne partagez pas mon avis ?

— Non, pas du tout.

Ella vit une lueur d'avertissement éclairer ses yeux sombres. Ce cheikh présomptueux avait sans doute l'habitude de voir les gens céder à ses caprices dès qu'il claquait des doigts.

— Auriez-vous épuisé le sujet, maintenant que vous avez émis votre jugement dans l'ombre ?

— Je vous demande pardon ? répliqua-t-il en relâchant son étreinte.

Ella en profita pour reculer d'un pas.

— Vous avez très bien entendu, dit-elle. Mais vous souffrez peut-être d'une forme d'amnésie : désirez-vous que je vous rafraîchisse la mémoire ?

— De quoi parlez-vous, bon sang ?

— Voyons… Vous estimez que le choix de votre ami Alex est *regrettable* et que *cette Allegra* ne peut pas devenir l'épouse d'un prince héritier, n'est-ce pas ? N'est-elle pas une *traînée, tout comme sa mère et ses sœurs* ? La famille Jackson est *si vulgaire, si peu recommandable…*

— D'où tenez-vous cela ? demanda-t-il d'un ton glacial.

— Je remarque que vous ne niez rien ! répliqua Ella en haussant le ton.

Plusieurs danseurs tournèrent la tête vers eux, puis Ella vit une lueur de compréhension naître dans le regard de Hassan.

— Vous condamnez des gens sans même les avoir rencontrés, poursuivit-elle.

Il la regarda un instant en plissant les yeux.

— Vous faites partie de la famille Jackson, n'est-ce pas ?

— Oh ! Bravo, prince du désert ! s'exclama-t-elle d'un ton sarcastique. Vous avez mis du temps à comprendre… Oui, je suis l'une des misérables filles Jackson !

— Vous écoutez aux portes ? fit-il en lui décochant un regard noir.

— Peut-être…

— Oui, vous écoutez aux portes ! répéta Hassan avec dédain.

Il sentit la colère monter en lui. Mais, au fond, c'était envers lui-même qu'il était furieux. Il aurait dû écouter son instinct : il avait bel et bien entendu du bruit, et pourtant il s'était laissé convaincre du contraire. Lui, un souverain venant d'une zone en guerre…

— C'est exactement le genre d'attitude qu'on peut attendre d'un membre d'une famille comme la vôtre. Vous confirmez ce que je pensais : votre intrusion dans les milieux royaux est inappropriée, et le prince Alessandro commet une erreur colossale en choisissant votre sœur.

Au fond, ce n'étaient pas tant ses paroles blessantes qui faisaient bouillir le sang d'Ella, que l'air supérieur avec lequel il les assénait. A l'entendre, Hassan détenait la vérité, il avait le droit de dire ce qu'il voulait et elle n'avait qu'à se plier à son diktat !

A présent, les gens les regardaient, remarqua-t-elle soudain. Mais elle n'en avait cure.

— Vous nous trouvez vulgaires ? répliqua-t-elle. Eh bien, je vais vous montrer à quel point nous le sommes…

Sans réfléchir, Ella saisit une flûte de champagne sur le plateau d'un serveur qui passait et en lança le contenu à la figure de l'arrogant cheikh. Puis elle lui tourna le dos et s'avança parmi les invités qui s'écartaient sur son passage en la contemplant avec stupeur.

2.

Sur le moment, Hassan resta interdit : cette petite garce de Jackson lui avait balancé du champagne à la figure !

Conscient des regards braqués sur lui, il s'essuya les joues d'un geste rageur tandis que le silence faisait place à des murmures excités. Mais Hassan y prêta à peine attention. Il était trop concentré sur les hanches moulées de tissu argent qui s'éloignaient en ondulant de façon provocante.

Cinderella Jackson traversait l'immense salle de réception aussi vite que ses talons ridiculement hauts le lui permettaient.

Hassan vit son garde du corps lui lancer un regard interrogateur, mais il secoua la tête, bien décidé à régler cette affaire lui-même.

Comment avait-elle pu oser l'humilier de cette façon ? En *public* ? Dans son pays, un tel acte était passible de prison !

Hassan s'élança derrière la jeune femme en pinçant les lèvres, puis arriva bientôt derrière elle. Mais il veilla à maintenir une certaine distance entre eux. Le bruit de ses hauts talons martelant le sol de marbre résonnait, et soudain elle jeta un bref regard par-dessus son épaule avant d'accélérer le pas.

Sans dire un mot, Hassan la suivit, ravi de la voir hésiter un bref instant lorsque le couloir se divisa en deux branches. Elle ne savait pas où elle allait, comprit-il avec satisfaction, alors que lui, il connaissait par cœur le dédale de couloirs du palais de Santina. En effet, il y avait souvent joué à cache-cache avec Alex quand ils étaient gamins.

Finalement, elle s'engagea dans le passage le plus étroit. Hassan aurait pu la rattraper, mais cette poursuite était trop savoureuse, trop excitante pour qu'il souhaite y mettre un terme.

Il ne bondit sur sa proie qu'une fois qu'ils eurent quitté le corps principal du palais. A présent, aucun serviteur ne risquait plus de croiser leur chemin. Lorsqu'il accula la jeune femme dans un coin, elle pivota sur elle-même en haletant. Ses boucles luxuriantes ruisselaient sur sa robe argentée et elle le regarda avec des yeux immenses. Leur teinte lui évoqua alors *vraiment* un ciel menaçant, un soir d'orage.

Cinderella lui offrait la vision la plus sauvage, la plus provocante et la plus érotique qu'il ait jamais contemplée.

— Je vous tiens, murmura-t-il d'un ton triomphant.

Mais il ne la toucha pas.

Ella le dévisagea, le cœur battant si fort qu'elle eut l'impression qu'il allait jaillir de sa poitrine. Elle avait très chaud et un mal fou à respirer. Courir avec des talons pareils avait été stupide ! Maintenant, ses pieds la brûlaient atrocement. Qu'est-ce qui l'avait poussée à réagir ainsi ? Comment avait-elle pu oser jeter le contenu de son verre à la tête de cet homme qui la dominait maintenant de toute sa hauteur ? L'espace d'un instant, elle le vit comme une incarnation du diable.

Eh bien, elle avait commis un acte irréfléchi et absurde, et elle n'avait plus qu'à recouvrer son calme.

— Vous ne me faites pas peur ! lança-t-elle d'un ton peu convaincant.

— C'est vrai ?

Hassan se pencha vers elle.

— Pourtant, après avoir agi de façon aussi… inconsidérée, la plupart des gens seraient assez terrorisés, à votre place…

Ses seins se soulevaient rapidement, faisant scintiller les perles brodées sur le bustier de sa robe.

Soudain, Hassan eut du mal à se rappeler les raisons de sa colère. Il était si excité par la proximité de cette femme qu'il ne pouvait articuler un mot.

— Vous avez fait un bel esclandre, tout à l'heure, dit-il enfin en recouvrant ses esprits.

Elle devait se montrer prudente, songea Ella. Elle se trouvait face à un homme aussi puissant que dangereux. Hélas, elle ignorait *comment* s'y prendre pour calmer le jeu.

— Et alors ? répliqua-t-elle sans réfléchir.

— Vous ne semblez pas avoir peur du scandale. Mais vous n'avez pas de réputation à perdre, n'est-ce pas ?

Au contraire, songea Ella en soutenant son regard. Il se trompait lourdement ! Elle avait travaillé très dur pour monter son entreprise et en vivre. En fait, sa mésaventure avec le cheikh, survenue au beau milieu de la célébration des fiançailles du prince Alessandro Santina, allait sans doute faire office de publicité gratuite et lui amener de nouveaux clients ! Et sa fréquentation des milieux aristocratiques constituait un atout supplémentaire pour ses activités professionnelles.

— Tandis que vous, répliqua-t-elle avec ironie, vous…

— Bien sûr ! l'interrompit-il. Dans mon pays, ma parole fait loi. C'est moi qui *édicte* les lois.

— Quel homme ! lança-t-elle d'un ton moqueur.

A présent, son insolence excitait Hassan autant qu'elle le rendait furieux.

— Mon peuple m'admire, et les gens n'apprécieront pas de découvrir dans la presse qu'une Anglaise parfaitement inconnue a eu l'audace de jeter du champagne à la tête de leur souverain.

— Vous me surprenez : j'aurais plutôt pensé qu'ils étaient habitués au récit de vos aventures rocambolesques !

L'espace d'un instant, Ella crut voir l'ébauche d'un sourire se former sur ses lèvres, avant de disparaître aussitôt.

— En tout cas, vous n'aviez qu'à penser aux conséquences de vos paroles avant de vous en prendre à ma famille, reprit-elle.

— Vous voulez dire : avant de dire la *vérité* ?

— Ce n'est...

— Oh, je vous en prie, épargnez-moi vos dénégations creuses ! coupa-t-il. Allez-vous contester que votre père soit un habitué du tribunal des faillites ? Ou que la voix horrible de votre sœur ait horrifié tous les invités ? Ou encore, que le prince héritier ait laissé tomber sa fiancée, qu'il connaissait depuis des années, pour épouser une autre de vos sœurs ?

— Si seulement une serveuse passait, je serais ravie de vous lancer un autre verre de champagne à la figure !

Il pencha la tête sur le côté en l'observant.

— Vraiment ? Avez-vous souvent recours à de telles tactiques, dignes d'une cour de récréation ?

— Uniquement lorsque je me retrouve face à la terreur de la classe ! riposta Ella en le foudroyant du regard. En fait, je n'avais jamais fait une chose pareille.

— Non ? Dois-je comprendre que vous avez jugé bon de faire une exception pour moi ?

Hassan contempla ses lèvres pleines en refoulant le désir qui le ravageait. Il avait envie de sentir cette bouche sous la sienne, et ce corps ravissant palpiter contre le sien, *sous* le sien.

— Je me demande bien pourquoi ! lança-t-il.

La lueur sauvage qui illuminait ses yeux bruns incendia Ella.

— Parce que vous êtes insupportable, trop sûr de vous et trop attaché aux traditions ! Vos remarques étaient tellement dépassées et machistes que je n'ai pas pu faire autrement que de réagir de façon primitive ! De toute évidence, vous ignorez que le monde a évolué depuis le Moyen Age.

Il fronça les sourcils d'un air sombre.

— Vous me trouvez arriéré ?

Soudain, Ella ne fut plus sûre de rien. Il la regardait avec une telle intensité, une telle chaleur, que la moindre cellule de son corps réagissait. Il était temps qu'elle se ressaisisse.

— Oui, et je crois que vous êtes totalement étranger à la civilisation moderne ! Comment pourriez-vous la connaître en restant coincé dans votre désert, loin de tout ? Je parie que vous vous déplacez à dos de chameau…

Hassan n'en croyait pas ses oreilles. En fait, il venait de passer la plupart des derniers mois à cheval tandis qu'il se battait pour mettre un terme au conflit qui opposait son pays à une nation voisine. Mais même si sa vie comportait des aspects traditionnels, il avait toujours été ouvert aux nouvelles technologies, conscient qu'elles représentaient la condition *sine qua non* de tout véritable progrès.

Il songea à son parc de véhicules, au jet ultramoderne et aux ingénieurs qu'il employait pour travailler sur des moyens de transports plus respectueux de l'environnement.

— En insultant mon pays, dit-il avec colère, vous portez atteinte à mon honneur.

— Comme vous avez porté atteinte au mien !

— Tout ce que j'ai dit était exact, répliqua Hassan en soutenant son regard. Alors que vous, vous venez d'émettre un jugement sur ma terre natale sans rien savoir sur elle.

— Eh bien, tant pis ! Assumez. Maintenant, si vous voulez bien me laisser passer, j'aimerais m'en aller.

Les femmes ne réagissaient *jamais* ainsi avec lui. Au contraire, elles étaient d'habitude prêtes à tout pour le satisfaire. Et aucune ne lui avait jamais lancé de champagne à la figure avant de s'éclipser avec un délicieux balancement des hanches, éveillant toutes sortes de désirs brûlants en lui.

Mais en dépit du dédain affiché par cette femme surgie d'un conte de fées, la sensualité vibrait entre eux. Le désir avait frémi dès le début, et rien de ce qui s'était passé, rien de ce qu'ils avaient dit, ne l'avait diminué. Hassan le lisait au fond de ses yeux couleur de ciel d'orage, il le voyait à la façon dont les pointes de ses seins se dressaient sous le tissu, faisant miroiter les perles argentées.

Au cours des longs mois passés à combattre dans le désert, il avait été contraint à une abstinence forcée, mais à présent sa libido réclamait son dû.

Hassan regarda autour de lui : le couloir était vide. Pouvait-il la prendre là, sans risquer d'être surpris ? Ou se contenter de lui donner un aperçu de ce qui allait s'ensuivre dans sa chambre ?

Toute sa colère s'était maintenant éteinte. Ne restait que le désir, farouche et exigeant. Quel plaisir, lorsqu'il la verrait se soumettre et l'entendrait gémir, le suppliant d'écourter son attente. A ce moment-là, elle oublierait toute insolence !

Soudain, la jeune femme fit une légère grimace et changea de position. Baissant les yeux, Hassan sourit lentement.

— Vous avez mal aux pieds, dit-il d'une voix douce.

Désarçonnée, Ella le dévisagea avec stupeur.

— Mes chaussures me blessent terriblement, reconnut-elle.

— Otez-les. N'êtes-vous pas Cendrillon ?

Ella voulut répliquer, puis se ravisa. Après tout, pourquoi pas ? Des tas de femmes se débarrassaient de leurs chaussures quand elles faisaient la fête. Certaines emportaient même une paire de ballerines dans leur sac.

Au moment où elle allait se pencher, Hassan la devança et s'accroupit devant elle, avant de lui ôter ses escarpins avec une dextérité révélatrice. Il avait sans doute fait ce geste des millions de fois...

Il effleura ses orteils sous son pouce avant de reposer

son second pied sur le sol de marbre, puis se releva avec une grâce de félin.

— Ça va mieux ? demanda-t-il avec un sourire moqueur.

— Oui, beaucoup mieux. Et le sol est d'une fraîcheur merveilleuse.

— Allez-vous rejoindre les autres ? répliqua-t-il en lui tendant ses chaussures.

Comment aurait-elle pu retourner là-bas, après sa sortie spectaculaire ?

— Non, il est temps que je rentre, dit-elle en glissant les doigts sous les fines lanières de cuir verni. Enfin, il faut d'abord que je trouve une voiture pour regagner mon hôtel.

— Je vous accompagne jusqu'à l'entrée principale.

Le cœur d'Ella s'emballa dans sa poitrine, en même temps qu'une chaleur délicieuse se répandait dans son ventre. Les yeux de Hassan brillaient d'un éclat sauvage et son essence virile lui titillait les narines. Elle repensa à la caresse de son pouce sur ses pieds. Dans le conte, n'était-ce pas l'inverse ? Le prince n'était-il pas supposé lui *remettre* ses chaussures ? songea-t-elle en tressaillant.

— Non, vraiment. Ce n'est pas la peine.

— Vous n'allez pas vous égarer ? fit-il en plissant le front.

Pour la première fois, Ella regarda autour d'elle. Le couloir était désert et silencieux, et au-delà s'étendait un véritable dédale où elle se perdrait à coup sûr. Ils devaient être très éloignés des invités, réalisa-t-elle soudain. Et elle ne savait pas comment sortir du palais.

Devait-elle feindre l'audace ? Dire à Hassan qu'elle retrouverait son chemin sans son aide ? Ce serait l'attitude la plus raisonnable.

— Non, ça ira très bien, affirma-t-elle en redressant le menton.

— Vous en êtes sûre ? C'est un vrai labyrinthe, vous

savez. Et je n'aime pas vous imaginer y tournant en rond pendant des heures.

— Tandis que vous, vous vous y déplacez avec l'aisance d'un navigateur né, c'est cela ?

Il haussa les épaules.

— Il se trouve que j'ai un sens de l'orientation extraordinaire. Mais, en outre, je connais très bien le palais. J'y ai passé beaucoup de temps avec Alex, quand nous étions enfants.

Ella resserra les doigts autour des lanières de ses chaussures. C'était étrange d'imaginer cet homme puissant enfant. Avait-il voulu mettre en avant ses relations avec la famille royale de Santina, pour lui rappeler que les Jackson n'étaient que des arrivistes avides de grimper l'échelle sociale ?

Cependant, quand elle vit la lueur moqueuse qui brillait au fond de ses yeux noirs, Ella comprit qu'elle ferait peut-être mieux d'accepter sa proposition. Elle n'avait certes pas envie d'errer pendant des heures dans les couloirs du palais.

Ensuite, elle ne reverrait jamais ce cheikh, sauf au mariage de sa sœur, probablement, puisqu'il était l'un des meilleurs amis d'Alex. Par conséquent, il serait peut-être plus judicieux de le quitter en bons termes, surtout après lui avoir jeté du champagne à la figure.

— Dans ce cas, j'accepte votre aide, dit-elle avec un sourire forcé.

— Parfait, allons-y.

Ils s'avancèrent en silence dans le couloir au plafond haut, mais Ella ne vit rien, trop troublée par la sensualité de l'homme sublime qui marchait à côté d'elle. Pourtant, le décor était fabuleux, constata-t-elle en jetant un bref coup d'œil aux tableaux anciens ornant le mur.

— Combien de temps restez-vous sur l'île ? demanda-t-il soudain.

— Je reprends l'avion pour Londres demain.

— Après le déjeuner ?

Ella haussa les épaules. La perspective de devoir participer à un repas officiel la terrifiait. Elle avait espéré pouvoir s'éclipser aussitôt après le petit déjeuner, mais hélas on lui avait fait comprendre que le déjeuner était *obligatoire*. Et elle avait compris qu'il serait très mal vu de dire *non* à la famille royale…

— Oui.

Une note de résignation avait percé dans sa voix, remarqua Hassan en lui lançant un regard en biais. Une fois encore, elle le surprenait par ses réactions. Lorsqu'il lui avait ôté ses chaussures, elle n'avait même pas battu des cils d'un air séducteur… Au contraire, elle avait regardé fixement devant elle, comme si elle pensait au moment où elle serait enfin *débarrassée* de lui…

Ressentait-elle vraiment de l'impatience ? Ou s'efforçait-elle de réprimer le désir qui avait éclos entre eux dès que leurs regards s'étaient croisés ? Ralentissant le pas, Hassan laissa errer son regard sur la ravissante silhouette qui s'avançait devant lui. Scintillant au moindre mouvement, sa robe mettait en valeur ses courbes superbes.

Pieds nus, avec ses ongles pailletés d'argent, elle était encore plus sexy que chaussant les escarpins qui se balançaient maintenant au bout de ses doigts fins.

— Un dernier verre de champagne avant de partir ? demanda-t-il avec un sourire en coin.

Elle se retourna, le sourire aux lèvres, semblant apprécier l'humour contenu dans ses paroles, avant de plisser le front.

— Mais, je ne veux pas retourner là-bas…

— Je sais. Mais puisque nous sommes à deux pas de ma suite, je pensais que vous aimeriez peut-être la voir — surtout qu'elle renferme des tableaux extraordinaires.

Par une ironie assez piquante, il se servait de l'argument le plus susceptible de la séduire, songea Ella. Toutefois, elle se sentait déçue. Princes du désert ou hommes d'affaires banals, tous semblaient se comporter de la même façon…

— C'est une variante de : « Venez chez moi, je vais vous montrer mes estampes japonaises », je suppose ? répliqua-t-elle d'un ton sarcastique. Décidément, vous devriez revoir votre façon d'aborder les femmes !

— J'ignorais que j'avais affaire à une experte en la matière, murmura-t-il. A moins que vous n'aimiez pas la peinture ?

Il la jugeait de nouveau. La croyait-il trop ordinaire pour apprécier la beauté ? Pensait-il qu'une Jackson ne pouvait s'intéresser qu'aux âneries qui passaient à la télévision, ou à d'insipides magazines féminins ? La colère monta de nouveau en Ella, mais à son grand dépit, une sensation douce et chaude frémit entre ses cuisses.

— Ce que je n'aime pas, c'est plutôt qu'un homme essaie de me draguer avec des formules éculées…

Un véritable conflit se livrait entre ses paroles et son corps, c'était évident, songea Hassan. Il le comprenait tout à fait puisqu'il vivait la même lutte intérieure.

— Ah, Cinderella, Cinderella…, répliqua-t-il d'un ton moqueur. Je parlais d'art, alors que vous semblez ne désirer parler que de sexe. Au fait, quel est votre vrai prénom ?

— Ella. Et pourriez-vous cesser de déformer tout ce que je dis, s'il vous plaît ? Je ne désire absolument pas parler de sexe.

— Moi non plus.

Ella le regarda avec surprise.

— En parler est une perte de temps, ajouta-t-il.

Avant qu'elle n'ait le temps de réagir, il la prit dans ses bras tandis qu'Ella le laissait faire, choquée par son geste et par sa propre attitude. Mais quand elle sentit la puissance de l'érection pressée contre son ventre, elle laissa échapper un petit cri. Et lorsqu'il posa les mains sur son dos, la caresse de ses doigts sur sa peau nue la fit frissonner violemment.

Mais cette fois, ils n'étaient pas entourés d'une foule de danseurs. Cette fois, ils étaient seuls. *Totalement* seuls.

Ella voulut dire quelque chose, mais un éclat doré traversa les yeux noirs de Hassan tandis qu'il penchait son visage vers le sien. Ensuite, il fut trop tard.

Ses lèvres se posèrent sur les siennes et Ella ouvrit la bouche d'instinct, avant de s'abandonner au baiser le plus fabuleux de sa vie.

3.

Ses bras puissants la tenaient si serrée contre lui que son corps viril semblait s'imprimer dans le sien, de façon indélébile. Ecrasés contre son torse, les seins d'Ella semblaient réclamer ses caresses, tandis qu'une chaleur inexorable l'envahissait.

Leurs bouches se dévoraient, leurs langues s'exploraient, et pourtant, à travers une sorte de brouillard exquis, Ella sentit que quelque chose n'allait pas. Elle essaya d'identifier la cause de cette sensation, mais son corps affamé semblait déterminé à repousser toute pensée cohérente de son esprit.

Lorsque Hassan s'écarta légèrement avant de refermer une main sur son sein, Ella laissa échapper un halètement. A travers le tissu brodé de perles, il titilla le mamelon déjà gonflé, et soudain Ella comprit la source de son malaise.

Elle détestait cet homme et il la détestait. Et alors qu'il était supposé l'aider à quitter le palais, il l'embrassait à pleine bouche et lui caressait les seins…

Dans ce cas, pourquoi ne le repoussait-elle pas ? Pourquoi passait-elle le bras autour de son cou, en gémissant contre ses lèvres ?

Parce qu'elle n'avait jamais ressenti une telle volupté. Ni même imaginé qu'un homme puisse la faire naître en elle. Soudain, son unique expérience sexuelle lui parut un pâle brouillon, comparé au plaisir qui faisait pétiller son sang dans ses veines.

— Hassan…

Au prix d'un effort surhumain, Ella écarta sa bouche de celle de Hassan tandis que ses escarpins manquaient de lui glisser des doigts.

— C'est… *fou*, dit-elle d'une voix faible.

— Ne romps pas le charme, Cinderella, murmura-t-il en ouvrant la porte de sa suite.

Puis il l'attira à l'intérieur, avant de refermer la porte d'un coup de pied. Aussitôt, il la reprit dans ses bras et l'embrassa de nouveau avec fièvre.

Elle se trouvait dans la chambre d'un homme qu'elle connaissait à peine, songea-t-elle avec un mélange d'excitation et de frayeur. Un cheikh au regard ténébreux qui avait parlé de sa famille avec mépris et cruauté. Un amant merveilleux dont l'habileté la faisait fondre, à la moindre caresse de ses lèvres, au moindre effleurement de ses mains sur son dos tandis que leurs langues se livraient à un ballet torride.

Sa peau brûlait. Son corps était en feu. Elle vibrait tout entière. Ella gémit tandis qu'il refermait de nouveau les doigts sur son sein. Pourquoi se contentait-il de le caresser à travers sa robe ? se demanda-t-elle confusément. Comme s'il avait deviné ses pensées, Hassan fit glisser le tissu sur sa poitrine.

Sans la lâcher, il recula un peu le haut du corps afin de la regarder, comme on le fait au musée, pour mieux apprécier un tableau.

— Tu ne portes jamais de soutien-gorge ? demanda-t-il d'une voix rauque.

Ella aurait voulu répondre qu'avec ce style de robe, il était impossible d'en porter, mais les mots restèrent bloqués dans sa gorge.

— Tu as raison : pourquoi dissimuler ces deux trésors ? poursuivit-il en passant lentement son pouce sur un téton durci. J'aime que ces beaux petits seins ronds soient accessibles. Qu'ils s'offrent, prêts à recevoir mes hommages.

Il se pencha pour prendre son mamelon entre ses lèvres. Lorsqu'il aspira sa chair, puis la caressa avec sa langue, Ella laissa échapper une plainte.

Peu à peu, le plaisir devint presque impossible à supporter si bien qu'elle sentit ses genoux trembler. Aussitôt, Hassan la souleva dans ses bras, avant de l'emporter vers un imposant lit à baldaquin.

— Hassan…

— Oui ?

— Nous ne… Nous ne devrions pas…

— Tu le penses vraiment ? Tu ne me parais pas très convaincue…

Il avait raison : elle ne l'était pas du tout. Jamais un homme ne l'avait portée ainsi dans ses bras, à moitié dévêtue. La sensation était merveilleuse. Ella se sentait… *femme*. Lorsqu'elle plongea les yeux dans ceux de Hassan, elle frissonna de nouveau. Il la regardait comme si elle était la créature la plus ravissante et la plus sexy qu'il eût jamais contemplée.

Quand il l'eut étendue sur le lit, Ella resta immobile à le regarder ôter sa veste. Celle-ci tomba sur le sol, suivie de sa cravate, puis sa chemise blanche les rejoignit. Après s'être débarrassé à la hâte de ses chaussures, il fit glisser son pantalon sur ses jambes, dévoilant une impressionnante érection.

A sa grande surprise, Ella ne se sentait nullement intimidée. Fascinée, elle contemplait ce merveilleux exemple de perfection virile en retenant son souffle.

Hassan revint vers le lit et se pencha au-dessus d'elle. L'instant d'après, la fermeture Eclair de sa robe glissait, avant de rester bloquée dans un petit amas de perles. Quand il tira d'un coup sec, tout se défit si bien que les perles minuscules se répandirent sur le lit avant de tomber sur le sol. Ella éclata de rire et referma les bras autour du cou de Hassan avant de l'attirer vers elle.

— Ton appétit sexuel semble être à la hauteur de ton caractère, Cinderella, murmura-t-il en riant à son tour.

— Et le tien ? répliqua-t-elle avec une audace insensée. Comme si elle avait connu des milliers d'amants…

Sa réponse embrasa la libido de Hassan. Il ne s'était jamais senti aussi excité, aussi près de renoncer à tout contrôle. Ce qui se passait relevait de la pure folie, il le savait, mais en même temps, il ne pouvait s'en empêcher. Cela faisait trop longtemps qu'il n'avait pas senti le fourreau moelleux et chaud d'une femme palpiter autour de son membre viril.

Pourtant, dans la salle de réception, des centaines de créatures sophistiquées se tenaient à sa disposition, des aristocrates prêtes à satisfaire tous ses caprices, et nettement plus appropriées que celle-ci. Des créatures raffinées, qui ne lui auraient jamais jeté du champagne à la figure avant de se soumettre à lui aussi facilement.

Il aurait dû aller les rejoindre et renoncer à cette insolente Jackson pendant qu'il en était encore temps.

A cet instant, ses cuisses à la peau laiteuse s'écartèrent, dévoilant leur secret en une invite silencieuse. Il était *déjà* trop tard. Les doigts un peu tremblants, Hassan tendit la main pour prendre un préservatif avant de l'enfiler à la hâte, et fit glisser la minuscule culotte en dentelle sur les jambes de Cinderella.

Après s'être glissé entre ses cuisses, il s'engagea dans les plis moites de désir, puis s'enfonça au plus profond de sa merveilleuse chaleur, incapable de retenir le tremblement qui l'ébranla tout entier.

Ella s'était soudain demandé si elle serait capable d'accueillir sa puissante érection, mais déjà, ses muscles les plus intimes s'accommodaient au membre de Hassan. Ils se détendaient et se refermaient sur lui, en des spasmes délicieux.

— C'est bon ? demanda-t-il en repoussant une mèche de cheveux humides des joues brûlantes d'Ella.

— Fantastiquement bon, murmura-t-elle.

— Eh bien, voyons si je peux faire mieux…

Ses paroles dénotaient une arrogance phénoménale, mais Ella s'en fichait. Surtout que Hassan faisait naître des sensations inouïes au plus profond de sa féminité, qui déferlaient dans tout son corps en vagues exquises, d'une folle intensité.

Emerveillée, Ella se sentit devenir la femme qu'elle avait toujours cru ne jamais pouvoir être. Tout son être répondait avec passion et avidité à l'étreinte de Hassan. Elle ne se sentait plus désespérément froide. Au contraire, une chaleur merveilleuse ondoyait en elle.

Elle souleva les hanches pour mieux accueillir son amant, tout en s'accordant au rythme de ses coups de reins. Les mains agrippées à son dos couvert de sueur, Ella sentit son membre bouger en elle.

— Hassan ! chuchota-t-elle en fermant les yeux.

— *Ladheedh !* répliqua-t-il d'une voix rauque.

Sombrant dans le plaisir, Ella renversa la tête en arrière tandis qu'il déposait des baisers brûlants dans son cou, puis sur ses seins. Ses lèvres effleurèrent ses tétons, exacerbant le désir qui la consumait.

Hassan laissa échapper une longue plainte. Elle était si *chaude*. Si *serrée*… Il glissa les mains sous ses genoux et souleva ses jambes avant de les arrimer autour de son cou. A présent, il pouvait la pénétrer au plus profond de son intimité. Fermant les yeux, il sentit ses ongles s'enfoncer dans son dos et entendit les halètements qui faisaient écho aux siens.

Etait-ce parce qu'il n'avait pas fait l'amour depuis une éternité que c'était si bon ? Ou parce que leur étreinte avait été soudaine, inattendue, sans aucune des étapes exigées par ses partenaires habituelles, même les plus prédatrices ?

Hassan avait l'impression de grimper vers le sommet

41

d'une falaise, et qu'à chaque instant, il pouvait perdre le contrôle et glisser dans l'abîme.

Il la regarda. Elle semblait perdue dans la jouissance : ses cheveux se répandaient sur l'oreiller blanc et ses lèvres étaient entrouvertes, révélant ses dents parfaites. Ses paupières se soulevèrent en un battement de cils et leurs regards se soudèrent. Hassan ferma les yeux. Il était impensable de laisser une femme le regarder au moment où il se sentait le plus vulnérable.

Reprenant le contrôle qui menaçait de lui échapper, il se concentra pour donner le plus de plaisir possible à sa partenaire. Il l'emporta au bord de l'abîme, encore et encore, se repaissant de ses murmures, de ses petites supplications.

— Comment ? chuchota-t-il. Que dis-tu, ma farouche gazelle ?

— S'il te plaît… Je…

Ses paroles se perdirent dans un gémissement.

Hassan sourit, savourant la sensation familière de domination. Elle ne le défiait plus, à présent…

— Je ne comprends pas, chuchota-t-il.

Ella savait très bien ce qu'il faisait. Il jouait avec elle, comme un chat avec une souris avant de lui assener le coup mortel. Elle savait de quelle manière elle aurait dû répondre — en lui disant d'aller au diable —, mais elle était incapable de résister au plaisir qu'il faisait naître et renaître en elle.

— S'il te plaît, Hassan…, haleta-t-elle. Oh… oui…

Cette fois, Hassan ne put résister à la vague qui le submergeait. En un dernier coup de reins puissant, il lui offrit l'orgasme qu'elle réclamait. Mais lui-même fut emporté dans le flot tandis qu'il sentait sa chair brûlante se contracter autour de son sexe et qu'elle criait son prénom.

Son propre plaisir le terrassa, avant de lui laisser un goût amer. Après l'extase, Hassan se sentit aussi vide que si Ella avait absorbé toute son énergie vitale.

De longes secondes s'écoulèrent avant qu'elle ne prononce un mot. Il avait espéré qu'elle s'endorme, lui permettant ainsi de retrouver tout son calme, mais elle murmura d'une voix langoureuse :

— Hassan ?

— Oui ?

— C'était… *stupéfiant.*

— Oui, je sais.

— Je n'arrive pas à y croire. Je n'avais jamais…

— Chut…, dit-il.

Son ton extatique le mettait mal à l'aise. Doucement, il se dégagea et frissonna tandis que la réalité reprenait ses droits.

Comment avait-il pu émettre des jugements aussi définitifs sur Alex, alors qu'il venait de démontrer qu'il était aussi faible que lui ?

Après avoir tenu des propos méprisants concernant le choix de son épouse, Hassan avait emmené l'une des sœurs Jackson dans son lit. Il l'avait déshabillée, lui avait fait l'amour…

Un profond dégoût lui monta aux lèvres. Qu'allait-il dire à la jeune femme, à présent ? Mais quand Hassan tourna la tête, il vit qu'elle s'était endormie, la tête appuyée sur son bras replié.

Elle murmura des paroles incompréhensibles, puis ses paupières frémirent un instant tandis qu'il l'observait en retenant son souffle. Et quand elle se tourna sur le côté en poussant un profond soupir, il sentit un soulagement indicible l'envahir.

Hassan ferma les yeux en se rappelant la façon dont ils avaient quitté la salle de réception. Ne les voyant pas revenir, qu'avaient dû penser les autres invités ?

Et qu'allait-il faire, à présent ?

S'enfuir, c'était la seule solution. Il devait quitter cette chambre avant de céder au désir de son corps lâche qui brûlait déjà de posséder de nouveau la belle endormie.

Hassan quitta le lit sans bruit, puis ramassa ses vêtements épars sur le sol en remarquant les perles dispersées çà et là. Il imagina la réaction des femmes de chambre qui viendraient faire le ménage le lendemain matin. Mais il n'allait quand même pas s'agenouiller pour essayer de les rassembler...

Une fois dans la salle de bains, il se rhabilla puis appela son assistant.

Benedict décrocha à la deuxième sonnerie.

— Altesse ?

— Faites préparer le jet, dit-il à voix basse. Je souhaite partir le plus rapidement possible.

— Mais, Altesse, vous êtes attendu au déjeuner de demain...

— Eh bien, on ne m'y verra pas, répliqua-t-il d'un ton péremptoire. J'enverrai un email à Alex du Kashamak. Oh ! Autre chose, Benedict.

— Oui, Altesse ?

— Faites porter des vêtements de femme dans ma suite tôt demain matin, voulez-vous ? Et avant que vous ne vous posiez des questions : non, je n'ai pas soudain développé un goût pour le travestisme, Benedict.

— Quel genre de tenue désirez-vous exactement, Altesse ? répliqua son assistant sans se départir de son flegme habituel.

— Quelque chose qui permette à la dame en question de retourner décemment à son hôtel, dit Hassan.

Il s'interrompit un instant en songeant au ravissant corps nu étendu dans son lit, là, à quelques mètres de lui.

— Du six en taille américaine, je pense.

4.

Ella s'étira avec volupté puis ouvrit les yeux. Où se trouvait-elle ? Désorientée, elle regarda autour d'elle. En tout cas, pas dans sa chambre…

A cet instant, le chant d'un oiseau s'éleva, clair et mélodieux, en même temps qu'Ella découvrait une sensation inhabituelle entre ses jambes. Le soleil caressait sa peau… Elle était complètement nue ! constata-t-elle avec stupeur. En un éclair, les souvenirs affluèrent à sa mémoire, avec une précision d'un érotisme inouï…

Elle s'était donnée à un homme, dans cette chambre, dans ce lit… Au cheikh Hassan Al Abbas !

En proie à un embarras atroce, Ella remonta le drap jusqu'à son menton, puis retint son souffle, immobile et à l'affût du moindre bruit, du moindre mouvement.

Les images se bousculaient dans son esprit, vivaces, crues… Elle l'avait *supplié* de lui faire l'amour ! Elle avait crié son prénom quand elle avait sombré dans la jouissance.

Ella rougit au souvenir du plaisir fabuleux qui l'avait submergée. Pour la première fois, elle avait eu un orgasme — avec cet homme. Son cœur se mit à battre à tout rompre : où était-il ?

Dans la salle de bains, sans doute, se dit-elle en tendant de nouveau l'oreille. Elle se passa les doigts dans les cheveux en un geste nerveux. L'amant merveilleux avec qui elle s'était livrée à des ébats torrides allait resurgir devant elle, d'un instant à l'autre.

Comment avait-elle pu se laisser aller ainsi ? Coucher avec un homme qui n'avait pas caché son mépris pour elle et sa famille ? Ella contempla la robe argentée abandonnée sur le sol, puis vit les perles qui avaient roulé dans toutes les directions.

Cependant, il s'était montré le moins égoïste des amants, anéantissant tous ses doutes et interrogations. Grâce à ses caresses expertes et sa façon exquise de lui faire l'amour, elle avait découvert des sensations inconnues. Pour la première fois de sa vie, Ella s'était sentie vraiment femme.

Elle jeta un coup d'œil à la montre restée à son poignet : 9 heures passées. Jamais elle ne se réveillait aussi tard ! Et elle n'avait rien à faire dans cette suite luxueuse ! Elle était censée se trouver dans sa chambre de l'hôtel où était descendue toute sa famille. Qu'allaient-ils penser en ne la voyant pas apparaître pour le petit déjeuner ?

Et où était passé Hassan ?

Ella se força à garder son calme. C'était arrivé, et il était impossible de revenir en arrière. Alors, inutile de paniquer. L'expérience avait été fabuleuse et inattendue, et elle n'avait pas à avoir honte, ni peur. Ils étaient responsables *tous les deux* de ce qui s'était passé dans cette chambre. Aussi devaient-ils affronter la situation ensemble.

— Hassan ?

Pas de réponse.

Il était peut-être sous la douche… Soudain, elle imagina son corps nu, la mousse blanche contrastant avec sa peau hâlée. Elle revit son ventre plat et musclé, l'épaisse toison brune ornant sa virilité comme un blason. Ella ferma les yeux. Cela avait été… fantastique. Mais elle ne se faisait pas d'illusions, le somptueux cheikh ne désirait sans doute pas renouveler l'expérience. Au contraire, il souhaitait qu'elle disparaisse de sa vie, le plus rapidement possible.

Mais, pour cela, elle avait besoin de son aide.

— Hassan ! lança-t-elle d'une voix plus forte.

Une fois encore, elle n'obtint aucune réponse, mais au même instant un léger coup fut frappé à la porte.

Que devait-elle faire ? L'ignorer ? Attendre que Hassan sorte de la salle de bains et aille ouvrir ? On frappa de nouveau.

— Mademoiselle Jackson ? demanda une voix d'homme.

Qui pouvait savoir qu'elle était là ? se demanda Ella en se frottant machinalement le front. En tout cas, elle était forcée d'aller ouvrir... Après s'être enveloppée dans le drap, elle s'avança vers la porte et l'entrouvrit avant de jeter un coup d'œil méfiant à l'extérieur. Un homme de haute taille lui adressa un sourire poli.

— Mademoiselle Jackson ? répéta-t-il.

— Qui êtes-vous ?

— Vous ne me connaissez pas, mademoiselle. Je m'appelle Benedict Austin et je suis l'assistant du cheikh Hassan Al Abbas. Il m'a demandé de vous faire parvenir ceci.

Il lui tendit un grand paquet plat.

— Qu'est-ce que c'est ? demanda Ella en haussant les sourcils.

— Des vêtements, mademoiselle Jackson. Son Altesse a insisté pour que vous les acceptiez, car si j'ai bien compris...

Il hésita un léger instant avant de poursuivre :

— ... vous avez renversé du vin sur votre robe hier soir.

Ella rougit jusqu'aux oreilles. En dépit de sa politesse, cet homme savait très bien ce qui était réellement arrivé à sa robe, elle l'aurait parié. Pourquoi Hassan ne s'était-il pas donné la peine de lui apporter ces vêtements lui-même, au lieu de déléguer l'un de ses sbires ? s'interrogea-t-elle avec colère. Elle regarda son assistant dans les yeux.

— Savez-vous où il se trouve en ce moment ?

— Cheikh Hassan ? Il a dû rentrer au Kashamak d'urgence : une affaire d'Etat qui ne pouvait attendre.

Ainsi, il avait fui, sans même se soucier de lui dire au revoir, songea Ella en sentant un frisson glacé la parcourir.

En proie à un mélange d'humiliation et de rage, elle aurait volontiers dit à Benedict d'aller au diable avec ses vêtements, mais elle ne pouvait pas se le permettre. Après ce qui s'était passé la veille, si elle quittait en plus le palais dans sa robe en lambeaux, tout le monde saurait comment elle avait passé la nuit…

— Merci, dit-elle avec le plus de dignité possible.

Puis, après avoir pris le paquet blanc, elle referma la porte.

D'autres auraient fondu en larmes, mais pas elle. Ella était une survivante. Elle n'allait pas pleurer à cause d'un type qui n'en valait pas la peine. Au contraire, elle allait retrouver un aspect décent, et quitter ce palais où elle n'avait rien à faire.

Une longue douche effaça toute trace du parfum du cheikh, mais les souvenirs de leur folle étreinte furent plus difficiles à chasser.

Ella se regarda dans le miroir. Comment avait-elle pu perdre ainsi la tête ? N'avait-elle pas été révoltée de voir sa mère capituler ainsi, acceptant toutes les infidélités de son ex-mari et accueillant ses réapparitions épisodiques sans un reproche ?

Régulièrement, Ella l'avait suppliée d'avoir un peu plus de cran et de tenir tête à l'homme qui l'avait ridiculisée sans scrupules. Jusqu'au jour où elle avait compris que sa mère n'écoutait que son cœur. Ce jour-là, Ella s'était juré de ne pas lui ressembler. De *toujours* garder la tête froide en ce qui concernait les hommes.

Ce principe avait fonctionné sans problème… jusqu'à la veille au soir. Mais elle n'avait jamais rencontré d'homme comme Hassan Al Abbas. Et puis, la seule expérience sexuelle qu'elle avait vécue avait été un désastre. Elle était restée à contempler le plafond, en se demandant pourquoi on faisait tant d'histoires à propos du sexe.

Eh bien, elle connaissait maintenant la réponse. Et

elle pouvait comprendre que femmes et hommes soient prêts à fiche leur vie en l'air pour obéir à leurs passions.

Les doigts tremblants, Ella ouvrit le paquet apporté par l'assistant de Hassan, avant de découvrir une robe blanche et une culotte enveloppées dans du papier de soie mauve. La robe était simple et de longueur respectable, mais la culotte, ou plus exactement le string en dentelle couleur chair, était très sexy et destiné à montrer plutôt qu'à dissimuler…

Lorsqu'elle l'enfila, Ella rougit alors que personne ne pouvait la voir. Hassan l'avait-il choisi ? se demanda-t-elle, ou avait-il confié cette tâche à son assistant ?

Après avoir passé la robe, qui lui allait à la perfection, elle sortit son bâton de rouge de son sac et en appliqua sur ses lèvres. Ensuite, elle fourra sa robe argentée dans la poubelle de la salle de bains et regagna la chambre, où elle contempla les perles minuscules répandues sur le sol. Elle haussa les épaules, puis enfila ses chaussures avec une grimace de douleur.

Quelques instants plus tard, elle quittait la suite du cheikh et s'avançait dans le couloir bordé sur un côté d'élégantes fenêtres. Elle devait se trouver tout près des jardins du palais. Si seulement elle pouvait croiser un serviteur, qui pourrait lui trouver une voiture pour regagner l'hôtel…

— Mademoiselle Jackson ? C'est bien vous, n'est-ce pas ?

La voix et le ton raffinés firent tressaillir Ella. Glacée jusqu'aux os, elle pria pour que ce ne soit pas la reine Zoe… Mais quand elle se retourna, tout espoir s'évanouit. Elle se trouvait bel et bien face à l'aristocratique future belle-mère de sa sœur.

Les joues en feu, Ella esquissa une révérence maladroite.

— Euh… Bonjour, Votre Majesté.

— Vous êtes bien Ella ?

— Oui, Votre Majesté.

La reine haussa ses sourcils au dessin parfait.

— Pardonnez ma surprise, mais je suis étonnée de vous voir ici à cette heure matinale. Je pensais que vous et votre famille séjourniez à l'hôtel ?

Ella se força à sourire. Comment répondre, sinon en recourant à une formule évasive ? Elle ne portait pas la même robe que la veille, mais en revanche, toujours les mêmes chaussures, qui n'allaient pas du tout avec sa nouvelle tenue…

— Je… Je me suis endormie…

Il y eut un silence, pendant lequel Ella redouta que la reine lui demande *où* elle s'était endormie. Mais la future belle-mère de sa sœur, sans doute retenue par sa bonne éducation, se contenta de lui adresser un regard désapprobateur.

— Je vois. Et avez-vous pris votre petit déjeuner ?

— Euh… Non. Mais je n'ai pas très faim, Votre Majesté. Et puis, je dois retourner à l'hôtel. Ma mère doit se demander où je suis passée.

— En effet, répliqua la reine d'un ton assez sec. Eh bien, adressez-vous à un serviteur : il fera venir une voiture pour vous.

— Merci, Votre Majesté.

Ella fit une révérence, un peu moins maladroite que la première, et, après un bref hochement de tête, la reine s'éloigna.

Un quart d'heure plus tard, Ella se trouvait à bord d'une limousine qui roulait sur une route pittoresque longeant la côte. Elle était très soulagée d'avoir enfin quitté le palais, mais en même temps elle avait le ventre si noué qu'elle remarqua à peine la beauté du paysage qui l'entourait.

Alors qu'elle avait eu l'occasion de prouver à Hassan Al Abbas que ses a priori concernant sa famille étaient injustes et totalement infondés, elle les avait au contraire renforcés par sa conduite débridée.

5.

— Je ne veux pas savoir comment vous vous y prendrez : faites-le, c'est tout ce que je vous demande ! s'écria son interlocutrice d'une voix aiguë. C'est *mon* mariage, et j'en rêve depuis trop longtemps pour accepter aucun compromis : je les veux dorés tous les deux et absolument identiques !

— Je vais trouver une solution, promit Ella avant de reposer le combiné en soupirant.

Sa lassitude ne venait pas du dernier caprice de sa cliente, une chanteuse dont les photos s'étalaient dans tous les magazines people. Dès la création de son agence d'événementiel, Cinderella-Rockefella, on lui avait demandé toutes sortes de choses étranges, et en général Ella prenait tout avec calme. Mais, d'habitude, elle ne se sentait pas en proie au mélange de culpabilité et de mal-être qu'elle éprouvait depuis son retour de Santina.

Et pourtant, elle faisait tout pour oublier le fabuleux cheikh qui lui avait donné tant de plaisir. Mais ce qu'elle aurait surtout voulu ignorer, c'était la crainte qui grandissait de jour en jour dans son esprit et qui, encore ce matin même, avait pris la forme d'une nausée épouvantable, avant qu'elle ne rejette son petit déjeuner, aussitôt après l'avoir pris.

Ella se força à chasser son anxiété et se tourna vers Daisy. Âgée de vingt-deux ans, sa jeune assistante était d'une efficacité redoutable et débordait d'énergie.

— Comment peut-on avoir envie de se marier juché sur un trône doré, Daisy ?

— Quand on fait partie du monde du show-business et que l'on est un couple doté d'un ego gigantesque, c'est la moindre des choses ! répondit son assistante avec humour. Deux stars aussi connues désirent *forcément* faire sensation — surtout qu'ils ont dû convoquer toute la presse people. Et puis, maintenant que ta sœur est fiancée à un *vrai* prince, tu es la personne idéale pour organiser ce genre d'événement, Ella !

— Ne me parle pas de cela, s'il te plaît, dit-elle en tressaillant.

— Pourquoi ? La plupart des gens seraient ravis de profiter d'un rapprochement avec le monde de l'aristocratie ! Mais toi, tu m'as à peine touché un mot de la réception donnée en l'honneur des fiançailles de ta sœur. A ton retour de Santina, tu as refusé de répondre à toutes mes questions, se plaignit Daisy. J'ai dû me rabattre sur les journaux pour savoir comment cela s'était passé.

— Ça y est, tu recommences ! soupira Ella.

Se rendant compte que ses doigts tremblaient, elle reposa son stylo.

— Daisy, pourrais-tu t'occuper de ces deux trônes dorés, s'il te plaît ? Contacte cette entreprise qui fabrique des décors de théâtre, ils pourraient peut-être t'aider. Je… Je dois m'absenter, cet après-midi.

Ella se leva trop vite et tout se mit à tourner autour d'elle. Depuis quelque temps, cela lui arrivait souvent.

— Ella, tu te sens bien ? demanda Daisy d'un air inquiet. Ton visage a une drôle de couleur…

— Ça va très bien, mentit Ella en refoulant la nausée qui lui montait aux lèvres. Bon, j'y vais. A demain, Daisy.

Sans regarder son assistante, elle quitta l'agence à la hâte et sortit dans la rue sous une pluie diluvienne. Evidemment, elle n'avait pas pris son imperméable !

Lorsqu'elle monta dans le bus en direction de Tooting,

Ella frissonnait de la tête aux pieds en dépit de la température douce qui régnait ce jour-là. Le quartier où elle habitait n'était certes pas le plus huppé, mais il était bien desservi par les transports publics et, surtout, les loyers y étaient accessibles. Là-bas, au moins, elle n'était pas contrainte de vivre dans un studio grand comme un mouchoir de poche et elle pouvait investir ses économies dans sa petite entreprise florissante. Elle avait travaillé dur pour faire décoller celle-ci, mais elle voulait à tout prix être indépendante, et ne jamais avoir à compter sur un homme pour subvenir à ses besoins.

Mais maintenant, qu'allait-il arriver à sa précieuse entreprise si ses pires craintes se voyaient confirmées ?

Lorsque Ella entra chez elle, la maison lui parut froide. Après avoir posé son sac dans l'entrée, elle se dirigea vers la salle de bains, où se trouvait encore le test de grossesse, intact sur l'étagère, à côté du dentifrice.

Elle le contempla un instant avant de le prendre d'une main tremblante. Le moment était venu de regarder la vérité en face.

Le cœur battant, elle déchira l'emballage et gagna les toilettes. Des millions de femmes avaient fait la même chose, dans le monde entier. Des centaines le faisaient en cet instant même, songea-t-elle. Mais aucune d'entre elles n'effectuait ce test après avoir vécu une aventure d'une nuit avec un cheikh, un lâche qui s'était enfui sans même se donner la peine de lui dire au revoir…

Au fond, Ella n'avait pas besoin de voir la ligne bleue sur le bâtonnet pour savoir que le test était positif. Elle le savait au fond de son cœur, depuis le début.

Après avoir quitté la salle de bains, elle se força à aller se préparer une tasse de thé brûlant, puis l'emporta dans le salon et s'installa sur le sofa. Le soleil commençait à descendre dans le ciel, les étoiles s'allumaient une à une, parsemant le ciel de leur éclat doré. Mais Ella les regardait sans les voir. Elle ne pensait qu'à l'événement qui allait bouleverser sa vie et la changer pour toujours.

Elle était enceinte ! D'un cheikh. Elle allait avoir un bébé, d'un homme qui la méprisait, elle et tout ce qu'elle représentait. Ella reposa sa tasse vide sur la table basse et ferma les yeux. La vie vous jouait parfois de drôles de tours, songea-t-elle en repensant aux semaines passées. Elle avait fait semblant de ne pas savoir, laissant grandir la crainte dans sa tête, et pendant ce temps une vie minuscule se développait dans son ventre.

En n'en parlant à personne, elle était presque parvenue à se convaincre que le doute n'existait pas. Mais, à présent, le besoin de se confier à quelqu'un la submergeait.

Pas à sa mère, trop faible et incurablement romantique. Ni à ses sœurs, surtout si elle ne voulait pas que son secret soit éventé. Et encore moins à son père.

Seul Ben pourrait l'écouter et la réconforter. Son frère qui, en dépit de sa réputation de magnat exigeant, se montrait toujours très protecteur envers les femmes de sa famille. Ce brillant homme d'affaires vivait pour l'instant dans une superbe villa du bord de mer, sur l'île de Santina, où il travaillait sur un projet caritatif. Avant de se laisser le temps de changer d'avis, Ella prit le téléphone et composa son numéro.

— Ben Jackson.

— Bonjour, Ben, c'est Ella.

Aussitôt la voix de son frère se radoucit.

— Ella, murmura-t-il. A qui je n'ai pas encore pardonné d'avoir quitté l'île de façon aussi précipitée, après la soirée organisée en l'honneur des fiançailles d'Allegra. Pourquoi n'es-tu pas venue au déjeuner, le lendemain ? J'étais impatient de bavarder un peu avec toi.

— En fait, je n'y suis pas venue pour la même raison qui m'amène à te téléphoner aujourd'hui.

— Dois-je deviner de quoi il s'agit ? répliqua-t-il d'un ton moqueur.

Ella déglutit en pensant au choc qu'il allait recevoir. Autant lui dire la vérité tout de go parce que, de toute façon, il n'y avait aucun moyen d'atténuer ce choc.

— Ben, je suis enceinte.

Silence.

— Mais tu n'as pas de petit ami, Ella, dit enfin son frère. Ou du moins, tu n'en avais pas la dernière fois que nous avons parlé ensemble : c'est-à-dire au cours de cette soirée, au palais de Santina. Que se passe-t-il ?

Il s'interrompit un instant avant d'ajouter d'une voix dure :

— Qui est le père ?

Ella frémit de honte en se reprochant de l'avoir appelé. Parce qu'à présent, elle allait tomber du piédestal où l'avait placée son grand frère. Pour de bon.

Mais en lui disant la vérité, celle-ci devenait réelle. Et Ella devait affronter la réalité.

— Hassan Al Abbas.

Il y eut un nouveau silence, bref, et quand Ben parla, sa voix avait pris un ton encore différent.

— Le cheikh ? demanda-t-il lentement.

— Oui.

— Tu es enceinte de l'un des hommes les plus puissants du Moyen-Orient ?

Ella frissonna. Présentée ainsi, la situation paraissait encore plus terrifiante.

— Apparemment, oui.

Une volée de jurons résonna alors dans son oreille.

— Ben, ne jure pas !

— De quelle façon suis-je censé réagir ? riposta-t-il. As-tu réfléchi ? T'es-tu demandé dans quoi tu t'engageais ? Tu ne connais donc pas la réputation qu'il s'est faite ? Je suis sonné, Ella, je l'avoue. Je ne savais même pas que vous sortiez ensemble !

— Ce n'est pas le cas ! s'insurgea-t-elle. Absolument

pas ! Nous avons fait connaissance, puis nous avons… eu un petit différend dans la salle de réception… Et ensuite…

— Je crois que je peux imaginer la suite tout seul, l'interrompit-il. La question, c'est : que vas-tu faire ?

Ella posa la main sur son ventre. Il était encore plat, mais plus pour longtemps. Tout au fond poussait un minuscule embryon, qui hériterait pour moitié de cet homme brutal aux yeux noirs, mais également pour moitié d'elle. Le premier petit-enfant de Bobby et Julie. Le premier neveu de ses frères et sœurs…

Une douleur terrible lui étreignit le cœur à la pensée de la lourde responsabilité qui reposait maintenant sur elle. Mais elle avait déjà pris sa décision. Il n'y avait qu'une attitude à adopter, songea-t-elle en sentant une immense vague de tendresse remplacer la douleur, mêlée de détermination.

— Je vais garder l'enfant, dit-elle d'un ton résolu.

— Bien.

Ben laissa échapper un long soupir.

— C'est bien, répéta-t-il. Et Al Abbas ? Que pense-t-il de tout cela ?

— Je ne lui ai encore rien dit. De toute façon, il ne voudra pas de cette paternité, Ben.

Ella repensa à la façon dont il avait quitté le lit en douce, au beau milieu de la nuit.

— Je ne l'intéresse pas du tout !

Après un court silence, Ben demanda :

— Comptes-tu le lui dire ?

— Je ne sais pas, murmura-t-elle en tressaillant.

— Une fois que tu lui auras parlé, tu n'auras plus beaucoup de contrôle sur ce qui s'ensuivra, l'avertit son frère. Al Abbas possède une fortune colossale, certes, mais surtout, c'est un autocrate. Les hommes de sa trempe sont extrêmement possessifs, et il considérera que cet enfant, son héritier, lui appartient. Il est et sera impitoyable, Ella, n'en doute pas un seul instant.

Ben ne lui apprenait rien, et elle se sentait partagée. D'une part, elle souhaitait rester le plus à l'écart possible de Hassan, pour se protéger — et pour protéger son enfant. Un frisson lui parcourut le dos. A présent, il ne s'agissait plus seulement d'elle. Un enfant était impliqué et Hassan avait le droit de connaître son existence, en dépit de ses sentiments envers la mère de celui-ci. Ou plutôt, en dépit de son *absence* de sentiments envers elle, corrigea Ella en son for intérieur.

— Je n'ai pas le choix, je dois lui dire la vérité, dit-elle avec calme.

— Si, tu *as* le choix, répliqua Ben d'une voix bourrue. J'espère qu'il appréciera ton initiative. Si je peux faire quelque chose, dis-le-moi, tu me le promets ?

— Oui, Ben, je le ferai, c'est promis. Merci.

Ella déglutit pour chasser la boule qui s'était nichée dans sa gorge.

— Et… tu ne parleras de ceci à personne, n'est-ce pas ? continua-t-elle.

— Non, sauf si tu me le demandes. Retardons au maximum les réactions hystériques du reste du clan, d'accord ?

Quelques instants plus tard, Ella raccrocha le téléphone. Elle devait mettre Hassan au courant. Tout de suite.

Soudain, elle se rendit compte qu'elle ne savait presque rien de lui. Elle ignorait même où il vivait ! Elle plissa le front : son assistant avait mentionné le nom d'un pays. Le Kasha… Kashamak ?

Ella s'installa devant son ordinateur et entra ce nom dans un moteur de recherche. Le Kashamak était bien un pays, découvrit-elle aussitôt, dont Hassan était le souverain. Par ailleurs, il avait un frère plus jeune.

Une photo le montrait vêtu d'une longue robe blanche, une coiffe maintenue en place par une simple cordelette dissimulant ses cheveux noirs. Il s'agissait sans doute du costume traditionnel du Kashamak, dans lequel Hassan avait l'air encore plus exotique. Et plus inaccessible.

Ella contempla sa bouche sensuelle en se souvenant de la façon dont ses lèvres expertes avaient exploré son corps. Elle se rappela l'orgasme fabuleux qui l'avait ébranlée au plus profond de son être. Le premier qu'elle ait jamais vécu. Toutes ses maîtresses éprouvaient-elles la même volupté dans ses bras ?

Irritée contre elle-même, Ella fit disparaître la photo de l'écran et essaya de se concentrer sur les informations concernant le Kashamak. Le pays regorgeait de ressources naturelles et des conflits l'opposaient depuis longtemps à une nation voisine, mais Hassan y avait récemment mis un terme. Depuis, il était un héros dans son pays.

A présent, elle savait où il vivait, mais comment entrait-on en contact avec un cheikh ? De par son statut, il était isolé des gens ordinaires comme elle, et il ne lui avait pas laissé son numéro de mobile en disant qu'ils resteraient en contact…

Finalement, Ella rassembla tout son courage et appela sa sœur Allegra, qui interrogea Alex. Celui-ci répondit qu'à son grand regret, il ne pouvait pas donner le numéro de Hassan à quiconque, pas même aux membres de sa famille. Pour des raisons de sécurité, expliqua-t-il. Mais il dirait à son ami qu'Ella cherchait à le contacter et lui demanderait de l'appeler.

Par chance, Allegra n'avait pas demandé à sa sœur *pourquoi* elle voulait entrer en contact avec Hassan. Elle devait être si occupée avec les préparatifs de son mariage qu'elle avait sans doute oublié l'incident survenu sur la piste de danse, le soir de ses fiançailles…

Qu'allait penser Hassan, lorsqu'il apprendrait qu'elle désirait le joindre ? se demanda-t-elle avec un frisson. Et s'il ne l'appelait pas ? S'il la prenait pour un crampon, une maîtresse d'un soir qui refusait d'admettre qu'il ne voulait pas la revoir ?

Cette pensée réconforta un peu Ella. Au fond, ce serait la meilleure solution. Comme cela, elle aurait la conscience tranquille puisqu'elle avait essayé de lui dire la vérité, mais elle n'aurait pas besoin d'impliquer Hassan dans la vie de leur enfant.

Revigorée, elle appela son médecin pour prendre rendez-vous. Il pouvait la recevoir dès le lendemain matin.

Après avoir pris sa tension et l'avoir examinée, il lui annonça que tout allait bien et qu'elle n'avait aucune inquiétude à se faire.

Ella ressortit du cabinet ragaillardie. De nombreuses femmes élevaient leur enfant toutes seules, et certaines d'entre elles réussissaient même à continuer à travailler, à diriger une entreprise !

Un peu plus tard, elle acheta un cappuccino et un beignet aux pommes à la cafétéria située à côté de l'agence. C'était la première fois qu'elle avait vraiment faim depuis une éternité ! songea-t-elle en entrant dans le bureau, son paquet à la main.

— Bonjour, Daisy ! dit-elle en souriant.

Celle-ci la regarda d'un air bizarre.

— Tout va bien, Daisy ?

D'un geste plutôt théâtral, son assistante tourna la tête en direction du bureau d'Ella.

— Là..., chuchota-t-elle.

— Quoi, *là* ? demanda Ella en haussant les sourcils.

Mais, soudain, une appréhension atroce s'empara d'elle et, quand elle posa la main sur la poignée de la porte, un frisson glacé naquit au creux de ses reins.

Après avoir inspiré à fond, elle pénétra dans son bureau et s'arrêta net, choquée mais pas vraiment surprise de voir la haute silhouette de cheikh Hassan Al Abbas se découper sur le rectangle lumineux formé par la fenêtre.

6.

Ella sentit le souffle lui manquer.

— Qu'est-ce que… Qu'est-ce que tu fais ici ?

Hassan contempla la femme qui venait d'entrer dans la pièce exiguë. Sa bouche écarlate tranchait sur son teint blême et elle ne souriait pas. Soudain, elle lui parut une totale étrangère.

Mais, elle *était* une étrangère. Même s'il l'avait tenue dans ses bras, complètement nue.

— Tu souhaitais me voir, Ella ? commença-t-il d'une voix douce. Eh bien, me voici.

Le fait de le revoir produisait un tel choc en elle qu'Ella avait l'impression d'avoir reçu un coup de poing. Craignant de renverser le café brûlant tant ses doigts tremblaient, elle posa le sachet contenant le gobelet et le beignet sur son bureau.

— Je désirais te *parler*, ce n'est pas la même chose.

Lorsqu'elle croisa son regard ténébreux, Ella maudit son propre corps. Celui-ci frémissait, comme s'il reconnaissait l'homme qui avait su lui prodiguer ces caresses savantes et délicieuses. Se forçant à supprimer les sensations qui se répandaient en elle à ce souvenir, Ella se força à détacher ses yeux de ceux de Hassan.

— Cela fait-il partie de tes habitudes de débarquer sans prévenir dans le bureau de quelqu'un ? Ce n'est pas très conventionnel, comme attitude.

— Je ne suis pas un homme conventionnel, répliqua

Hassan. Toutefois, lorsque les circonstances l'exigent, je me montre bien sûr très soucieux du respect des convenances.

Il la regarda avec attention : elle avait l'air *très* fatigué.

— Et puisque nous n'avions pas prévu de nous revoir, poursuivit-il, je suis impatient d'apprendre pourquoi tu voulais me… *parler* ?

Troublée, Ella avait des difficultés à retrouver son équilibre. En outre, la seule proximité de Hassan suffisait à la déstabiliser. Elle avait beau essayer de rester insensible, cet homme produisait un effet dévastateur sur elle.

Quand ils s'étaient rencontrés, il portait un smoking luxueux qui aurait flatté l'homme le plus ordinaire. Or Hassan n'était pas un homme ordinaire, et son physique n'avait pas besoin d'être flatté. Aujourd'hui, il arborait un costume élégant à la coupe parfaite et sans aucun doute taillé sur mesure par l'un des plus grands stylistes du moment.

Pourtant, il ne semblait pas très à l'aise, comme s'il se sentait à l'étroit dans ses vêtements raffinés. D'ailleurs, il avait déboutonné sa chemise blanche à l'encolure et desserré sa cravate. Ella comprit soudain que sous ses dehors aristocratiques se dissimulait un homme aux instincts primitifs.

A la pensée de la nouvelle qu'elle allait lui assener, elle sentit une véritable terreur l'envahir.

Il fallait d'abord établir le dialogue, se dit-elle pour se donner du courage. Eclaircir quelques détails. Peu importait ce qui s'ensuivrait. Pour commencer, elle devait le soumettre à une sorte de test. La façon dont il répondrait à ses questions dévoilerait sa conception des femmes en général, et lui apprendrait comme il la voyait, elle.

— Dis-moi, Hassan, commença-t-elle lentement, quittes-tu toujours les femmes au beau milieu de la nuit, sans même te donner la peine de leur dire au revoir ?

Surpris par cette question directe, et surtout irrité par son absence totale de remords, Hassan la regarda un instant en fronçant les sourcils. N'éprouvait-elle donc aucune honte après ce qui s'était passé ? se demanda-t-il en scrutant son visage pâle. Etait-elle une habituée des aventures d'une nuit ? Au fond, vu ses origines, cela n'aurait rien eu de surprenant.

— J'ai pensé que c'était la meilleure attitude à adopter pour limiter les dégâts, répondit-il d'un ton neutre.

— Pardon ? Tu as bien dit : limiter les *dégâts* ?

— Oh ! Je t'en prie, n'embellis pas ce qui s'est passé, dit-il avec un haussement d'épaules. Nous avons partagé un moment de sexe fabuleux, c'est vrai, mais vu les circonstances nous avons agi de façon inconsidérée. Et puis, prolonger l'expérience ne nous aurait menés nulle part, alors à quoi bon rester plus longtemps ensemble ?

— Si tu avais eu un minimum de savoir-vivre et de bonnes manières, tu aurais pu au moins me dire au revoir, non ?

Il laissa échapper un rire bref.

— Je crois que tu avais toi-même renoncé aux bonnes manières dès l'instant où tu m'as jeté du champagne à la figure !

— Peut-être, en effet. Mais tu y as renoncé lorsque tu as déchiré ma robe, dans ta hâte de me déshabiller.

Hassan pinça les lèvres. En fait, sa façon de le défier l'excitait. Or c'était justement ce qu'il ne voulait pas. Une vision l'assaillit, celle de ses seins nus frémissant sous ses doigts. Aussitôt, le désir jaillit en lui, suivi d'une vague de dégoût envers lui-même. Que valait un homme capable de battre ses ennemis au combat, s'il se laissait ensuite aller à la faiblesse dans les bras d'une femme qu'il méprisait ?

— Tu as bien reçu les vêtements que je t'ai fait parvenir ?

— Oui, répliqua-t-elle d'un ton brusque. Et je les portais quand je suis tombée sur la reine Zoe dans les couloirs du palais.

— Qu'a-t-elle dit ? demanda Hassan en tressaillant.

— Oh ! Elle est trop polie pour dire ce qu'elle pense,

mais son visage était éloquent. Surtout quand je lui ai expliqué que j'avais passé la nuit avec toi.

— Tu lui as dit cela ?

L'espace d'un instant, Ella se réjouit de voir l'expression horrifiée et consternée qui se lisait sur ses traits altiers. Toutefois, le but de cette conversation n'était pas de marquer les points, se rappela-t-elle.

— Non, évidemment ! Je ne lui ai rien dit de tel. Mais je le regrette. Après n'avoir pas dissimulé son mépris pour les Jackson, le tout-puissant cheikh a néanmoins entraîné l'un des membres de cette détestable famille dans son lit ! Cette information croustillante aurait ravi plus d'un paparazzi, tu ne crois pas ?

Hassan faillit sourire. Elle possédait autant d'esprit que de beauté, c'était indéniable, et aucune femme ne s'était encore jamais adressée à lui avec une telle audace. Si elle n'avait pas été une Jackson, il aurait volontiers entretenu une liaison avec elle : courte, mais des plus agréables.

Il regarda autour de lui. La pièce était petite, et aussi kitsch qu'il l'avait imaginé lorsque son enquêteur lui avait appris qu'Ella Jackson dirigeait une agence événementielle du nom de *Cinderella-Rockefella*.

Sur les murs s'étalaient les photos de soirées qu'elle avait dû organiser : des manifestations vulgaires attestant de son mauvais goût. Il aperçut un agrandissement d'une photo de mariage et reconnut le couple : un footballeur international et sa femme. Celle-ci portait une robe dont le décolleté révélait des seins qui, de toute évidence, étaient passés sous le bistouri d'un chirurgien. Elle aurait pu aussi bien prononcer ses vœux complètement nue, songea Hassan avec dégoût. Comment pouvait-on bafouer ainsi les liens du mariage ? Et comment Ella pouvait-elle travailler pour des gens pareils ?

Parce qu'elle était une Jackson, tout simplement. Par conséquent, elle faisait elle-même partie de ces créatures vulgaires.

— Eh bien, pourquoi as-tu cherché à entrer en contact avec moi ? demanda-t-il d'un ton détaché.

Sa question ramena soudain Ella à la réalité.

— Tu ne t'en doutes pas ? répliqua-t-elle, le cœur battant la chamade.

— Je peux imaginer toutes sortes de raisons…

Hassan la regarda dans les yeux tandis que les souvenirs de leur étreinte brûlante se bousculaient dans sa mémoire. Il s'était abandonné à de tels transports avec la jeune femme qu'à un moment donné, il avait craint de se perdre en elle.

— Par exemple, que le souvenir de nos ébats torrides t'aurait peut-être donné envie de renouveler l'expérience, reprit-il. Si c'était le cas, je ne pourrais pas te le reprocher.

Ella fut horrifiée par la réaction instantanée de son corps aux paroles provocatrices de Hassan. Et encore plus atterrée devant l'étendue de l'arrogance de celui-ci.

— J'essaie de ne jamais commettre la même erreur deux fois, Hassan. As-tu d'autres suppositions ?

A ces mots, Hassan sentit un vide sournois envahir son cerveau. Puis il pensa aux personnes qui se forçaient à imaginer le pire scénario, dans l'espoir qu'ainsi, il ne se réaliserait jamais. Peut-être qu'en énonçant la pire éventualité à voix haute…

— Se pourrait-il que notre égarement passager nous ait laissé davantage que des regrets ?

Ella le dévisagea en silence. Il ne lui facilitait vraiment pas la tâche.

— Quel manque de tact dans ta façon de t'exprimer…

Le fait qu'elle ne réfute pas ses paroles déstabilisa Hassan, mais il garda son calme. Comme le jour où quelqu'un lui avait posé un couteau sur la gorge. Il avait alors cru ses derniers instants venus, mais finalement, il n'était pas mort, n'est-ce pas ?

— C'est parce que je *suis* un homme fruste, Ella. Et je n'aime pas les devinettes. Que voulais-tu me dire ?

— Que… Tu avais raison !

Ella s'interrompit et rassembla tout son courage.

— Notre… aventure nous a laissé… ou plus exactement, *m'a* laissé…

Il ne cilla pas.

— Je suis enceinte, Hassan.

Hassan déglutit avec peine, puis se souvint du moment où la lame du couteau avait entaillé sa peau. En fait, il ne s'était agi que d'un avertissement, pas d'une tentative de meurtre. Et ensuite, la plaie avait cicatrisé. Tandis que ceci…

Il s'avança d'un pas vers Ella, les yeux rivés aux siens.

— Mais pas forcément de moi…

— Bien sûr que si !

— Comment peux-tu l'affirmer avec une telle certitude ?

Le sang pulsait à ses tempes, le rendant presque sourd.

— J'ai connu des femmes intrépides, crois-moi, mais ton attitude m'a surpris, je l'avoue. Tu ne t'es pas fait prier pour venir dans mon lit, c'est le moins que l'on puisse dire… Alors, je suis en droit de m'interroger, reconnais-le : tu montres peut-être le même zèle avec un homme différent chaque soir ?

Ses paroles faisaient mal, et il cherchait à la blesser, c'était évident. Mais Ella n'en montra rien. Au contraire, elle s'ordonna de rester logique plutôt que de céder à ses émotions — n'était-ce pas ce qu'elle faisait, depuis toujours ?

Et puis, pouvait-elle blâmer Hassan de se poser des questions, alors qu'en effet, elle s'était conduite de façon on ne peut plus débridée ?

Par ailleurs, elle comprit que sa réaction était due au choc que lui avait causé la nouvelle. Il avait peur. Quel homme aurait sauté de joie en apprenant qu'une totale étrangère était enceinte de lui ? Hassan pensait sans doute qu'elle essayait de lui forcer la main, qu'elle voulait le contraindre à l'épouser ou à s'engager avec elle. Il était si arrogant…

— Je ne couche pas à droite et à gauche, dit-elle posément. Mais, bien sûr, tu es libre de ne pas me croire.

— Dois-je comprendre que tu aurais fait une exception pour moi ?

— Ne fais pas le modeste, Hassan. Je suis sûre que beaucoup de femmes ont fait une exception pour toi.

Cette simple pensée était douloureuse. Mais c'était idiot : pourquoi ne supportait-elle pas de l'imaginer au lit avec d'autres femmes ?

Ella inspira à fond.

— Je comprends que cette nouvelle te cause un choc…

— Oh ! Tu as le sens de l'euphémisme, l'interrompit-il d'un ton moqueur.

Recourir à l'ironie était plus facile que d'admettre qu'elle avait raison, reconnut Hassan. Et de songer qu'en cet instant même, alors qu'elle se tenait devant lui dans sa robe de soie bleue, sa bouche pulpeuse entrouverte, *son* enfant grandissait dans son sein.

— Je veux que tu saches que j'envisage de garder cet enfant et de… de l'aimer.

Voyant une moue de dérision se dessiner sur les lèvres de Hassan, Ella s'empressa d'ajouter :

— Et je ne te demande rien.

A ces mots, il éclata d'un rire bref et cynique.

— Ce serait vraiment une première ! Et, dans ce cas, pourquoi avoir pris la peine de me le dire ?

— Parce que tu es le père et que j'estimais de mon devoir de te mettre au courant.

Hassan se figea tandis qu'un mot résonnait dans son esprit. Ella avait parlé de *devoir*.

C'était sur cette notion même qu'il s'était construit. Cette notion que sa mère avait rejetée, attirant le scandale et l'opprobre sur la maison royale, en détruisant trois existences au passage.

A présent, n'était-ce pas son devoir d'aider cette femme,

de lui apporter son soutien inconditionnel, même s'il en abhorrait l'idée ?

— Cela ressemble à un cauchemar, dit-il soudain.

Ella hocha la tête. Elle avait pensé exactement la même chose.

— Cette découverte m'a causé un choc à moi aussi.

— Pourtant, j'avais pris mes précautions...

— Oui, je sais.

Hassan se rappela soudain que lorsqu'il avait enfilé le préservatif, ses doigts avaient tremblé...

— Je dois avoir manqué de rigueur, dit-il d'un ton amer en la regardant dans les yeux. Mettons cela sur le compte d'une faiblesse, due au trouble provoqué par l'ardeur que tu manifestais à mon égard. Je revenais du front et je sortais d'une longue période d'abstinence. Et toi, quelle est ton excuse ?

— Disons que j'ai eu un moment d'absence.

Ella n'allait certes pas lui révéler qu'elle avait carrément perdu la tête.

— En fait, je n'ai pas beaucoup d'expérience en matière de sexe, poursuivit-elle.

— Ce n'est pas l'impression que tu donnais cette nuit-là.

— Mon comportement était dû à tes talents, non à mon expérience, répliqua-t-elle. Mais bon, ce n'est pas la peine de nous disputer sur ce point. J'ai cherché à entrer en contact avec toi parce que j'ai estimé que tu avais le droit de savoir que tu avais engendré un enfant, c'est tout. Et maintenant que tu le sais et que j'ai accompli mon devoir, j'aimerais que tu t'en ailles. J'ai beaucoup de travail.

Le défi brillait dans ses yeux bleus et, à sa grande surprise, Hassan comprit qu'elle était sincère. Il ne s'agissait pas d'une posture destinée à l'impressionner — elle désirait *vraiment* qu'il s'en aille !

D'instinct, il se rebella contre son attitude : une femme ne lui dicterait pas sa conduite. Mais, en même temps, une émotion non désirée se frayait un chemin en lui, au plus profond de son être, dans un endroit qu'il avait verrouillé avec soin. Une souffrance aiguë lui déchira la poitrine, le ramenant à l'époque où sa mère était partie avec l'homme qu'elle disait aimer, en abandonnant un petit garçon complètement perdu. Plus tard, il s'était juré qu'aucune femme ne le ferait souffrir comme sa mère avait fait souffrir son père.

Le souvenir s'estompa, puis disparut dans le flou qui envahissait sa mémoire, et Hassan se retrouva face à Ella Jackson qui l'observait en haussant les sourcils.

Elle portait son enfant, songea-t-il en s'efforçant de s'en convaincre. Par conséquent, il ne s'agissait pas de n'importe quel enfant. Celui qui allait grandir dans son sein était le fils, ou la fille, du cheikh du Kashamak. Et cet enfant était *à lui*.

Autrefois, après avoir juré de ne jamais se marier, il avait annoncé à son jeune frère qu'un jour, il lui léguerait le pouvoir puisque, de son côté, Hassan n'aurait produit aucun héritier.

Anéanti par la souffrance qu'il avait ressentie à la désertion de sa mère, il avait compris que la paternité ne serait jamais pour lui. Mais soudain elle s'imposait à lui, en dépit de toutes ses prévisions.

Hassan serra les poings : ce que venait de lui révéler Ella Jackson chamboulait sa vie de façon irrévocable. Tous ses projets et ses certitudes se voyaient assujettis à une transformation radicale.

Car il savait où était son devoir et, par conséquent, il ne se comporterait pas comme sa mère, qui avait tourné le dos à la chair de sa chair.

— Je ne m'en irai pas, dit-il. Nous devons parler.

Ella soutint son regard sans ciller, mais en réalité sa proximité la déstabilisait. Cet homme avait le pouvoir d'anéantir chez elle tout jugement, toute lucidité, se rappela-t-elle. Par conséquent, il était dangereux.

— Il me semble que nous avons dit tout ce qu'il y avait à dire.

— Tu plaisantes ? Nous n'avons fait qu'effleurer le sujet, Ella. A moins que tu n'aies escompté qu'après m'avoir annoncé que tu portais mon enfant, je partirais en te laissant te débrouiller toute seule ?

Peut-être, en effet. Peut-être avait-elle été assez stupide, assez naïve, pour espérer que Hassan refuserait de reconnaître son enfant. Et qu'ensuite, il disparaîtrait de sa vie pour de bon.

Mais la détermination qui se lisait dans ses yeux noirs ne lui laissait plus aucune illusion.

A cet instant, le téléphone posé sur son bureau se mit à sonner et elle tendit machinalement la main vers l'appareil.

— Laisse, dit-il d'un ton impérieux.

— Je ne peux pas. C'est mon...

— J'ai dit : *laisse*. Ton assistante va répondre.

Leurs regards s'affrontèrent en silence tandis que la sonnerie du téléphone résonnait six fois avant que Daisy ne prenne l'appel. Ella comprit alors qu'elle ne gagnerait pas la partie. Si elle avait soulevé le combiné, Hassan aurait été capable de le lui arracher des mains. Par ailleurs, s'ils haussaient le ton, Daisy les entendrait sans doute à travers la cloison.

— Très bien, parlons, dit-elle. Mais pas ici et pas maintenant. Je te retrouverai plus tard, en fin de journée.

— D'accord, approuva-t-il sans la quitter des yeux. Viens dîner à l'hôtel avec moi, dans ma suite.

Ella secoua la tête.

— Il est hors de question que j'aille à ton hôtel.

— Vraiment ?

Lorsqu'elle entrouvrit ses lèvres rouges, Hassan sentit le désir rugir en lui. Au fond, coucher avec elle irait peut-être à l'encontre du plan qui germait peu à peu dans son esprit — et qu'il allait devoir peaufiner avec soin pour l'amener à l'accepter...

— Dans ce cas, que proposes-tu ? reprit-il. Si nous allons dîner au restaurant, je crains que la conversation ne se révèle un peu difficile à cause du bruit. Sans compter qu'un serveur, ou un autre client, pourraient surprendre nos propos. Je ne veux pas voir nos photos s'étaler demain dans les journaux.

Il s'était exprimé d'un ton si autoritaire que d'instinct, Ella eut envie de contester ses paroles. Il était si arrogant, si dominateur, songea-t-elle en observant son expression hautaine. Visiblement, il n'avait pas l'habitude d'être contredit. Si elle allait le rejoindre dans sa suite, il se trouverait en position de force. Or, quelles que soient les intentions de Hassan, elle-même devait rester en pleine possession de ses moyens. Par conséquent, le meilleur endroit pour le rencontrer était sans doute de le recevoir chez elle, conclut Ella.

— Tu peux venir chez moi, dit-elle. Daisy te donnera mon adresse. Je t'attendrai à 21 heures, mais je te conseille de dîner avant : je n'ai pas l'intention de préparer quoi que ce soit pour toi.

Hassan resta immobile un instant à la regarder, puis passa devant elle sans pouvoir s'empêcher d'admirer la masse luxuriante de ses cheveux aux reflets changeants. Sa bouche pulpeuse tremblait, remarqua-t-il. Le désir de l'embrasser le submergea, mais il le refoula comme il avait refoulé tant d'autres choses dans sa vie.

— Très bien. Je serai là à 21 heures.

Puis il quitta son bureau sans se retourner.

7.

Hassan appuya sur la sonnette en se demandant un instant s'il ne s'était pas trompé d'adresse. La maison d'Ella faisait partie d'une rangée de petites habitations presque identiques et donnant directement sur une route très fréquentée.

Il contempla la porte peinte en vert foncé en repensant à l'allure d'Ella Jackson, lors des fiançailles d'Alex. Il revit son style glamour, sa robe scintillante, ses talons hauts, son maquillage sophistiqué. Ensuite, vu son activité professionnelle, Hassan l'avait imaginée vivant dans un endroit clinquant, entourée d'un décor de pacotille. Mais pas dans cette petite maison ordinaire, située en plein cœur de l'un des quartiers les plus modestes de Londres.

La porte s'ouvrit et Ella apparut devant lui, dans une tenue qui collait encore moins avec l'image qu'il s'était forgée d'elle. Les cheveux noués en queue-de-cheval, elle était maintenant vêtue d'un simple T-shirt blanc et d'un jean bleu délavé.

En outre, elle ne portait plus la moindre trace de ce rouge éclatant qui attirait le regard vers sa bouche sensuelle. A vrai dire, cette nouvelle Ella n'avait plus rien à voir avec la fêtarde qu'il avait rencontrée quelques semaines plus tôt…, reconnut Hassan, soudain désorienté.

— C'est ici que tu habites ? demanda-t-il.

— Non, j'avais loué cette maison dans l'espoir de t'impressionner, mais je vois que c'est raté.

Ella ouvrit grand la porte et s'effaça pour le laisser entrer. Mais quand il la frôla au passage, elle ne put retenir un frisson.

— Oui, c'est ici que je vis, Hassan. Pensais-tu que je vivais dans un boudoir raffiné au sol recouvert de fourrures, et que je te recevrais allongée sur un divan, mon reflet se répétant à l'infini dans les miroirs faisant office de murs ?

En effet, c'était à peu près dans ce style d'environnement qu'il avait pensé la trouver.

Hassan s'avança dans la petite entrée avant de refermer la porte derrière lui. Puis il suivit Ella, les yeux rivés au séduisant balancement de ses hanches moulées de jean.

Le salon ne ressemblait pas non plus à ce qu'il avait imaginé. Spacieuse, la pièce contenait un sofa et deux chaises, mais ces meubles étaient rassemblés à une extrémité, comme s'ils avait été déposés chez elle par erreur.

Au centre de l'espace dépouillé se dressait un chevalet, sur lequel était posée une toile représentant un homme nu. Le tableau inachevé était plutôt bon, constata Hassan en plissant les yeux. Du moins, d'après ce qu'il pouvait en juger à cette distance. Mais son jugement n'alla pas plus loin tandis qu'il ne pouvait s'empêcher de faire une comparaison dont son ego ressortit vite indemne — mais pas son sens moral. Comment Ella avait-elle pu passer du temps à étudier les parties génitales d'un autre homme que lui ?

— Qui est-ce ? demanda-t-il d'un ton sec.

— Cela ne te regarde pas.

— Au contraire, répliqua-t-il d'une voix dure. Maintenant que tu portes mon enfant, cela me regarde au premier chef ! Qui est cet homme ?

Ella frémit malgré elle : l'attitude de Hassan n'augurait rien de bon.

— C'est un étudiant en architecture qui pose dans mon cours de dessin.

— Tu as couché avec lui ?

— Bien sûr que non ! s'exclama-t-elle avec indignation. Je le connais à peine…

Ella s'interrompit en se rendant compte de l'ironie contenue dans ses paroles. Une lueur de triomphe brillait déjà au fond des yeux de Hassan.

— Tu ne me connaissais pas beaucoup non plus ! lança-t-il d'un ton sarcastique. Mais cela ne t'a pas empêchée de m'offrir ton corps délectable, Ella…

Eh bien, elle l'avait cherché, songea Ella en ravalant la riposte qui lui montait aux lèvres. Car Hassan était venu pour parler de l'enfant et, au fond, le reste avait peu d'importance.

— Nous pouvons perdre notre temps à nous lancer des insultes, mais franchement ça ne m'intéresse pas beaucoup, dit-elle. Et puis, je suis trop fatiguée pour me livrer à ce genre de petit jeu. De toute façon, ce n'est pas pour ça que tu es venu, n'est-ce pas ? Alors, essayons de donner un tour civilisé à cette conversation.

Elle lui adressa un sourire poli.

— Et, pour commencer, peut-être pourrais-tu t'asseoir ? proposa-t-elle.

— Non, merci. Je préfère rester debout.

Soudain, Hassan se rendit compte qu'il n'avait pas prévu de stratégie particulière. En fait, il ignorait comment s'y prendre pour obtenir ce qu'il désirait de cette femme.

En outre, il réalisa qu'il ne savait même pas vraiment ce qu'il désirait.

Incapable de rester en place, il se dirigea vers la fenêtre, juste quand un long bus rouge s'arrêtait pour laisser descendre un groupe d'adolescents. Ceux-ci restèrent à bavarder sur le trottoir, non loin des deux véhicules dans lesquels ses gardes du corps patientaient.

De plus en plus perplexe, il se retourna vers Ella.

— Pourquoi vis-tu dans un endroit pareil, Ella ?

— A ton avis ? Parce que j'aime le bruit de la circulation, peut-être ?

Il lui décocha un regard si réprobateur qu'elle haussa les épaules d'un air détaché.

— Parce que c'est tout ce que je peux me permettre, Hassan. Je préfère investir tout ce que je gagne dans mon entreprise, plutôt que de le gaspiller dans un loyer exorbitant.

— Ton père ne te donne pas d'argent ?

Ella faillit éclater de rire. Sur quelle planète vivait Hassan ? A moins qu'il ne soit victime du talent de son père qui, manifestement, réussissait encore à faire croire au monde entier que l'argent coulait à flots chez les Jackson.

— Non, je ne reçois rien de mon père.

Hassan perçut la note acide qui avait teinté sa voix et, pour la seconde fois de la journée, il remarqua les ombres mauves qui soulignaient ses yeux. Les femmes enceintes se fatiguaient-elles vite dès le début de leur grossesse ? se demanda-t-il, se sentant soudain coupable.

— Nous devrions peut-être nous asseoir, après tout, dit-il.

A la grande surprise d'Ella, il lui posa la main sur les reins et l'entraîna vers l'une des chaises.

— Tu sembles fatiguée, ajouta-t-il.

Elle n'eut pas l'énergie de répliquer, mais ce simple geste la rendit vulnérable. D'autre part, elle était fatiguée, en effet. Toutes les émotions accumulées au cours des dernières semaines l'avaient épuisée.

Où étaient passés ses projets, ses résolutions ? Ella repensa à tous les plans qu'elle avait échafaudés pour le futur. Toutes les stratégies mises au point pour profiter des lacunes constatées sur le marché, et développer son entreprise. Elle songea à sa détermination à subvenir à ses besoins elle-même.

Tout cela avait sombré dans le néant, parce qu'elle savait très bien ce que cela signifiait d'élever un enfant. Il fallait jongler avec sa carrière, qu'on soit mère célibataire ou non. Et en plus, elle se trouvait face à un homme redoutable et supersexy qui, elle le soupçonnait fort, avait une idée en tête et était prêt à tout pour arriver à ses fins.

Dont elle ignorait tout.

Hassan attendit qu'elle soit assise avant de s'installer en face d'elle, sur le sofa. Après avoir allongé ses longues jambes devant lui, il plongea son regard dans le sien.

— Quand la naissance est-elle prévue ?

— Eh bien, étant donné que quatorze semaines se sont écoulées depuis les fiançailles, le bébé naîtra en janvier.

Elle soutint son regard avec difficulté.

— Le 8, précisément.

Ce détail déstabilisa un bref instant Hassan. Avoir une date précise sur laquelle se concentrer changeait tout. Cette information transformait sa grossesse pour l'instant invisible en un *fait réel*. Un événement qui allait se produire, dans la vie d'Ella et dans la sienne.

Le silence s'installa entre eux tandis que Hassan essayait de mettre les paroles d'Ella en images. Au tout début de l'année prochaine, au moment où la neige commencerait à recouvrir les plus hauts sommets des montagnes de Samaltyn, un bébé viendrait au monde. Dont il serait le père.

— C'est une nouvelle capitale, souffla-t-il.

— Oui.

— En as-tu informé quelqu'un d'autre ?

— Seulement mon frère, Ben, répondit-elle après un instant d'hésitation.

— Pouvons-nous compter sur sa discrétion ?

— Personne ne saurait être plus discret que Ben, protesta Ella. Mais tu auras sans doute du mal à le croire, puisqu'il fait partie de la détestable famille Jackson !

— Je sais que, dans le monde des affaires, ton frère jouit d'une réputation extraordinaire, admit Hassan. Mais ce qui nous arrive est tout à fait différent.

Au lieu de se réjouir qu'il reconnaisse les mérites de Ben, elle se sentit soudain gagnée par une inquiétude atroce.

— Pourquoi me demandes-tu si quelqu'un est au courant ? Tu... tu...

Après s'être interrompue un instant pour maîtriser l'effroi qui s'était emparé d'elle, Ella reprit avec calme :

— Ecoute-moi bien, Hassan Al Abbas. Je garderai cet enfant, quoi qu'il arrive. Et rien de ce que tu pourras dire ou faire ne me fera changer d'avis !

L'expression farouche qui empreignait ses trais ne laissait aucun doute sur sa résolution, songea Hassan. L'espace de quelques instants, il admira malgré lui sa passion et son intégrité. Mais l'indignation remplaça vite son admiration.

Hors de lui, il se leva en serrant les poings.

— Tu crois que je pourrais suggérer que tu…

— Ne le dis pas ! coupa-t-elle d'un ton impérieux.

— Je n'ai pas l'habitude qu'on m'interrompe, répliqua-t-il avec un geste impatient de la main.

— Peut-être, mais moi, je n'ai pas l'habitude qu'on me parle d'un ton menaçant. Alors, adresse-toi à moi calmement et je ne t'interromprai pas, d'accord ?

Devant son air posé et déterminé, Hassan repensa à la façon dont elle l'avait congédié ce matin-là pour pouvoir travailler. Et, soudain, il entrevit la façon idéale de s'y prendre.

— Très bien. Nous devons décider de la conduite à adopter.

Il avait dit *nous*, songea Ella avec appréhension.

— Je te l'ai dit, ma décision est prise : je garde cet enfant et je suis tout à fait disposée à l'élever toute seule.

— Néanmoins, tu n'es pas en mesure de prendre une telle décision, parce qu'il ne s'agit pas juste de *ton* enfant, dit-il doucement. Du sang royal coule dans ses veines. Sais-tu ce que cela signifie, Ella ?

— Comment le pourrais-je ? J'ignore tout de l'univers où tu vis. Comme j'ignore tout de toi, d'ailleurs.

— Ça, ce n'est pas tout à fait vrai, murmura-t-il en laissant errer son regard sur son corps. Tu sais beaucoup de choses sur moi, Ella.

L'allusion était transparente, et délibérée, comprit Ella.

A son grand dépit, elle sentit ses joues s'empourprer, alors qu'elle s'était promis de rester insensible à sa proximité.

— Je préfère ne pas parler de cela.

Envahi par un mélange d'émotions confus, Hassan eut soudain envie de la blesser. De lui faire payer de l'avoir pris au piège. C'était plus facile que de reconnaître qu'il y avait plongé les yeux fermés — et de son plein gré.

— De quoi ne veux-tu pas parler ? Du plaisir dont tu semblais ne pas pouvoir te rassasier ?

— Tu as ressenti la même chose ! riposta-t-elle, les yeux étincelants. Je me trompe ?

Brusquement, Hassan comprit pourquoi cette femme l'attirait autant. Son corps était superbe, certes, et lui-même sortait d'une longue période d'abstinence, mais c'était aussi sa témérité qui opérait sur lui comme un puissant aphrodisiaque.

Comme à Santina, elle le défiait, le regard dénué de toute peur.

— Oui, admit-il d'une voix dure. J'ai ressenti la même chose que toi.

Ses paroles ravivèrent les souvenirs qu'Ella s'efforçait d'oublier. La sensation merveilleuse d'être dans ses bras. Le plaisir divin que lui avait prodigué sa bouche, ses mains, dans les endroits les plus secrets de son corps. Sentant le désir sourdre du plus profond de sa féminité, elle le réprima sans pitié. Il fallait revenir au présent, à la *réalité*.

— Veux-tu dire que tu comptes assumer ton rôle de père ?

Hassan ne répondit pas tout de suite.

— Je dis que c'est une possibilité. Mais je crois que le plus important, c'est d'abord de discuter de tes besoins.

— Mes besoins ? répéta-t-elle en battant des paupières.

— Eh bien, il y a ton agence, n'est-ce pas ? Je n'y connais rien en matière d'événementiel, mais je suppose que cette activité requiert beaucoup de travail et d'investissement, surtout que tu es chef d'entreprise.

— Oui, c'est vrai.

— Et tu as sans doute des horaires impossibles ?

Ella s'adoucit malgré elle. Jamais elle n'aurait soupçonné qu'il puisse se montrer aussi compréhensif.

— En effet, c'est l'un des inconvénients de ce métier.

— Et comment le bébé trouvera-t-il sa place dans cet emploi du temps infernal ?

— Je…

Les mots se figèrent sur ses lèvres tandis qu'elle plongeait son regard dans le sien. Ce n'était pas de l'inquiétude mais du *calcul* qu'elle y découvrit. Elle s'était bel et bien laissé avoir !

Sa mère avait-elle capitulé de la même façon ? Refusant de retenir la leçon, était-elle retombée chaque fois sous le charme d'un homme qui lui murmurait quelques mots doux, avant de la traiter comme un objet encombrant ?

Effarée devant sa propre attitude, Ella se sentit blêmir.

— Mon Dieu ! murmura-t-elle. Tu es vraiment redoutable. Je comprends ce que tu es en train de faire : tu essaies de me faire admettre que je ne pourrai pas assumer la charge de mon enfant…

— N'est-ce pas la vérité ? répliqua-t-il sans ménagement. As-tu seulement pris le temps d'y réfléchir ?

— Tu te moques de moi ? Je ne pense qu'à cela depuis des semaines !

— Et tu envisages de continuer à travailler ?

— Bien sûr !

Ignorait-il à ce point comment vivaient les vraies gens ? se demanda Ella avec colère.

— C'est comme cela que je gagne ma vie, Hassan, continua-t-elle. Tout le monde ne naît pas dans un luxueux palais, entouré de serviteurs !

À ces mots, Hassan laissa échapper un rire bref et amer. Elle aussi croyait au fameux mythe des princes élevés dans le faste, comme s'il s'agissait d'un droit acquis à la naissance. S'il lui avait dit la vérité sur son compte, elle ne l'aurait jamais cru.

— Et pendant que tu travailleras, Ella, que tu t'occuperas de toutes ces célébrités de seconde zone et de leurs misérables petits problèmes, que feras-tu de ton enfant ? Tu le confieras à une gouvernante sous-qualifiée qui se fichera de son avenir ?

Le cœur battant à tout rompre, Ella le foudroya du regard.

— Ta question est stupide et ne mérite pas de réponse.

— Ah oui ? Très bien. En revanche, tu pourras peut-être répondre à celle-ci : que feras-tu quand il sera malade ? Qui te remplacera ? Envisages-tu de l'emporter au bureau dans un couffin ?

— Je ne suis pas la première à envisager d'élever un enfant seule ! s'emporta Ella, à bout de patience. Il y a des moyens de résoudre les situations d'urgence.

— Lesquels ?

Poussée dans ses retranchements, elle resta un instant silencieuse, à court d'arguments. En vérité, elle n'avait pas encore réfléchi à ce genre de détails pratiques.

— Selon toi, quelle est l'alternative ? lâcha-t-elle. Vas-tu me dire que tu veux emmener l'enfant dans ton palais, en plein désert, et l'élever comme un cheikh ou une… une princesse, si c'est une fille ?

— Au féminin, on dit *cheika*, répondit-il avec calme. Et oui, je peux très bien me charger d'élever cet enfant, quel que soit son sexe. Mon père l'a bien fait : on peut survivre sans mère — j'en suis la preuve.

Une étrange amertume avait coloré sa voix, songea Ella en l'observant avec attention. Brusquement, elle comprit où Hassan voulait en venir.

Il comptait emporter son enfant dans son royaume lointain, au fin fond du désert. Et ensuite, elle ne le reverrait jamais !

Ella sentit une nausée épouvantable lui monter aux lèvres tandis que de la sueur glacée perlait à son front.

— Je crois que je vais vomir, murmura-t-elle.

8.

Hassan avait déjà vu des hommes céder à un malaise, notamment au sortir du combat, avant de rester étendus sur le sol, le teint grisâtre et le visage inondé de sueur. Mais il ne s'était jamais trouvé face à une ravissante jeune femme sur le point de se trouver mal.

Elle avait l'air si fragile, soudain. Elle paraissait si petite. Et elle était enceinte ! Jamais il n'aurait dû lui parler aussi durement…

Submergé par le remords, il lui prit le bras et l'emmena dans la minuscule salle de bains. Là, il lui tint les cheveux écartés du visage tandis qu'elle soulageait son estomac. Quand elle se redressa, elle se laissa aller contre lui et ferma les yeux, exténuée.

— Excuse-moi, dit-elle d'une voix à peine audible.

— C'est moi qui dois m'excuser, protesta-t-il. Pas toi. Je suis responsable de ce malaise : je n'aurais jamais dû te parler comme je l'ai fait !

Hassan, à sa grande surprise, vit un léger sourire flotter sur les lèvres d'Ella.

— Tes paroles étaient vraiment blessantes, reconnut-elle. Mais elles n'ont pas le pouvoir de provoquer des nausées, Hassan. C'est un phénomène qui se produit chez de nombreuses femmes enceintes, dans n'importe quelles circonstances.

— Cela t'était déjà arrivé ?

Ella déglutit avec difficulté. Pour l'instant elle se sentait trop faible pour adopter une attitude stoïque.

— Presque tous les jours.

— Mais ce n'est pas bon ! C'est pour cela que tu es aussi mince et aussi pâle !

— Le médecin dit que tout va bien.

— Tu as vu un médecin ? demanda-t-il après un instant.

C'était bizarre, ridicule, et totalement déplacé de rester ainsi contre lui, alors qu'il lui avait dit des choses aussi dures, songea Ella. Mais le pire, c'était qu'elle ne désirait pas s'écarter de lui. Son corps était si chaud, si puissant. Dans les bras de Hassan, elle se sentait en sécurité.

— Bien sûr ! Vu mon état, c'est compréhensible, non ?

— Et qui est ce médecin ?

— Je suis allée voir mon généraliste, au centre de soins de mon quartier. Il est très bien.

Hassan se raidit en sentant son membre viril frémir sous la pression du corps d'Ella, appuyée de dos contre lui.

— Un généraliste de quartier n'est pas approprié dans ces circonstances, décréta-t-il. Tu portes l'enfant d'un cheikh, Ella ! Mais ce n'est pas le moment de discuter de ces détails. Il faut d'abord que tu te reposes.

Avant qu'Ella n'ait pu protester, il la souleva dans ses bras et sortit du salon en lui demandant où se trouvait sa chambre. Dans le couloir, il se tourna vers les croquis d'Izzy accrochés au mur, en fronçant les sourcils d'un air désapprobateur.

Arrivé dans la chambre, il la déposa sur le lit et lui glissa deux coussins sous la tête avant de se redresser.

— Que puis-je faire d'autre pour améliorer ton confort ?

Bêtement, Ella eut envie de lui demander de la serrer de nouveau contre lui. De la garder dans ses bras, juste quelques instants. Elle s'était sentie si bien, lovée dans sa chaleur.

— Je n'ai besoin de rien, merci.

— Tu en es sûre ?

La douceur inattendue de sa voix la fit hésiter.

— Il y a du Coca éventé dans le réfrigérateur.

— Du Coca éventé ? répéta-t-il d'un air perplexe.

— Oui, une fois dégazé, le Coca est efficace pour lutter contre les effets des vomissements.

— Très bien, approuva-t-il d'un air sombre.

Une fois dans la cuisine, Hassan ouvrit le réfrigérateur, qui ne datait visiblement pas de la dernière génération. Il y découvrit un morceau de fromage, de la salade fanée et une bouteille de Coca sans bouchon.

Tout en contemplant le liquide brun d'un air méfiant, il en versa dans un verre qu'il porta à Ella. Puis il le tint contre ses lèvres tandis qu'elle buvait.

Touchée par l'attitude de Hassan, Ella sentit ses forces lui revenir. Il lui témoignait une attention inattendue et son geste était d'une délicatesse très… intime.

— Tu ferais une bonne infirmière, plaisanta-t-elle.

— Mais toi, tu es une patiente bien pitoyable, riposta-t-il. Si tu penses pouvoir subvenir à tes besoins et à ceux d'un petit enfant avec les misérables provisions que renferme ton vieux réfrigérateur…

— Je n'ai pas beaucoup de temps pour faire les courses…

Aussitôt, Ella se rendit compte qu'elle était tombée dans le piège.

— Mais tout cela va changer, bien sûr, reprit-elle.

— Comment ? Où est ta baguette magique ? Qui va t'aider, Ella ?

— Ma famille.

A vrai dire, elle n'en était pas du tout convaincue. Ben l'aiderait si elle le lui demandait, mais l'idée de faire appel à lui répugnait à Ella. Elle détestait l'idée de représenter un fardeau pour son frère adoré. En outre, Ben vivait sur une île située à des centaines de kilomètres de chez elle.

Et son agence ? Comment allait-elle gérer ses activités au jour le jour ? Sa clientèle s'attendait à avoir affaire à une femme dynamique et toujours souriante. Pas à une femme enceinte et lasse qui ne vivait même pas avec le père de son enfant. Une créature en piteux état qui avait pour l'instant beaucoup de mal à garder les yeux ouverts.

— Il est hors de question que cet enfant subisse l'influence des Jackson, affirma Hassan d'un ton péremptoire.

Un frisson parcourut Ella.

— Tu ne peux pas m'empêcher de les voir.

Non, en effet, reconnut Hassan. Et s'il la poussait à bout, elle resterait sur ses positions et ne céderait pas. Mieux valait faire appel à l'avidité tapie au fond de toute femme…

Après avoir reposé le verre de Coca à moitié vide sur la table de nuit, il se pencha vers Ella.

— Et si moi, j'avais une baguette magique…

— Et que tu t'en servais pour disparaître de ma vie ? Alors ça, ce serait *vraiment* fantastique !

Elle était incorrigible, songea-t-il. Et quelle vivacité d'esprit redoutable elle allait transmettre à leur enfant !

— Non, répliqua-t-il sans pouvoir réprimer un sourire. Pour te faire entendre la voix de la raison.

— Voudrais-tu me faire croire que tu es un homme *raisonnable* ?

— Je peux l'être.

Il s'interrompit un instant avant de continuer.

— Je pourrais faire venir quelqu'un pour te remplacer, le temps de ta grossesse… Une personne compétente qui seconderait efficacement la jeune femme qui me dévorait des yeux ce matin.

— Daisy ? Mais je ne peux pas me permettre d'embaucher quelqu'un.

— Mais moi, si. Et pas n'importe qui : la personne la plus au top dans le domaine de l'événementiel — et que tu choisiras toi-même, cela va sans dire.

Ella le regarda avec stupeur tandis que son cœur s'emballait dans sa poitrine. Sa proposition était alléchante, *très* alléchante, même. C'était si facile, pour lui. L'argent pouvait résoudre tant de problèmes. Ce devait être grisant de détenir ce pouvoir…

— Et que demandes-tu en échange ?

— Que tu me laisses m'occuper de toi.

— Quand je disais que tu ferais une bonne infirmière, je ne parlais pas sérieusement.

En dépit de son ton moqueur, sa voix manquait de conviction, constata Hassan. C'était le moment d'en profiter.

— Réfléchis, Ella. Tu pourrais faire ce que tu veux de tes journées : lire les livres que tu n'as jamais le temps d'ouvrir, te reposer, regarder des films…

Il songea au portrait inachevé, aux croquis affichés dans le couloir.

— Tu pourrais même dessiner et peindre, si tu en avais envie. Ce serait une existence très agréable, tu ne crois pas ?

La tentation devenait trop forte. Le temps de peindre ? Ou de ne rien faire ? Ella s'imagina restant au lit le matin, en attendant que les nausées aient disparu. Elle n'aurait plus à s'habiller pour aller travailler, elle ne serait plus forcée de porter de hauts talons, ni de se maquiller à outrance.

Habituée à travailler depuis l'âge de seize ans, Ella ne pouvait s'imaginer sa vie autrement, et pourtant la proposition de Hassan était très attrayante.

— C'est très généreux de ta part, dit-elle en le regardant.

— Je peux me le permettre, répliqua-t-il avec un léger sourire.

— Et est-ce que tu… Viendrais-tu me voir de temps en temps ? Quand tu serais de passage à Londres ?

Il plissa le front en scrutant ses traits. Elle paraissait sincère… N'avait-elle pas compris la condition *inhérente* à sa proposition ? Qu'en échange de son aide matérielle et financière, elle se livrerait entièrement à lui ?

— Ce n'est pas dans mes intentions, dit-il. J'ai un pays à diriger, et toutes sortes d'obligations m'incombent, liées à mon statut de chef d'Etat. D'autant que nous venons juste de terminer une guerre. Par conséquent, je ne serai pas à Londres, et toi non plus, Ella, car tu vas t'envoler pour le Kashamak avec moi, dès que la question de ton remplacement sera réglée.

— Le Kashamak ? murmura-t-elle, le regard vide.

— Mon pays produit d'excellents guerriers et de grands poètes, dit-il avec fierté. Et l'enfant que tu portes doit connaître son héritage, Ella.

Il se tut un instant avant d'ajouter :

— Toi aussi.

Au fond de l'esprit de Hassan, une vision du futur s'ébauchait, dont les reliefs se précisaient peu à peu. La vie au Kashamak se révélerait vite trop dure et trop contraignante pour une Occidentale. Au bout d'un certain temps, Ella pourrait souhaiter retrouver son ancienne vie. Et si, en plus, elle découvrait qu'elle n'avait pas la fibre maternelle…

Elle partirait en lui laissant son enfant. Et Hassan s'occuperait de lui, comme son propre père s'était occupé de ses fils. Hassan savait mieux que quiconque qu'on pouvait très bien survivre sans mère.

Une excitation sauvage lui fit battre le cœur tandis qu'il entrevoyait la solution idéale. Jusqu'à présent, il n'avait jamais souhaité donner un héritier à son peuple, parce que l'idée du mariage lui était insupportable. Mais maintenant qu'il était *forcé* de se marier, cela changeait tout.

— Et si je ne souhaite pas aller vivre au Kashamak, que se passera-t-il ? demanda-t-elle soudain.

— Je crois que tu comprendras vite que tu n'as pas vraiment le choix, répliqua Hassan d'un ton sec.

Toute alternative était exclue, surtout maintenant qu'il avait entrevu la perspective que son enfant puisse être influencé par le style de vie des Jackson. C'était tout bonnement *inconcevable*.

— Ton bien-être représente ma priorité numéro un,

Ella, poursuivit-il d'un ton radouci. Et je ne peux pas l'assurer si tu te trouves à des milliers de kilomètres de moi.

Ella fut parcourue par un frisson glacé. Son bien-être passant avant toutes ses autres priorités ? Elle n'en croyait pas un mot. Pour Hassan, il s'agissait de possession, et de rien d'autre. L'enfant était *son* enfant comme elle serait *sa* chose.

Ses traits de faucon étaient empreints de cruauté et une lueur de triomphe brillait au fond de ses yeux noirs. Mais il avait raison. Elle portait l'enfant du cheikh et elle allait devoir s'habituer à ce fait, comme au reste. Pour la première fois, Ella pensa à l'effet que produirait l'annonce de cette nouvelle dans le royaume de Hassan.

— Les gens de ton pays ne trouveront-ils pas étrange de te voir revenir d'Occident avec une femme *enceinte* ? Car ils ne tarderont pas à remarquer mon état…

— Ils trouveront cela inacceptable, dit-il d'une voix onctueuse. C'est pour cela que nous devons nous marier tout de suite.

Se marier ? Ella le dévisagea avec stupeur, le cœur battant à toute allure.

— Tu as perdu l'esprit !

— Non, je ne crois pas.

Hassan vit la tension qui marquait ses traits.

— Qu'y a-t-il, Ella ? Te gardais-tu pour le prince charmant ?

— J'ai passé l'âge de croire aux contes de fées.

— Moi aussi, répliqua-t-il avec un sourire cynique. Alors, tu vois, nous nous ressemblons peut-être plus que tu ne le penses, puisque nous avons tous les deux perdu nos illusions. Cela fait de nous le couple idéal, si on considère que le but du mariage est la procréation. Par ailleurs, les gens de mon pays se montrent assez libéraux envers la question du divorce. Si tu trouves la vie au Kashamak insupportable, je te rendrai ta liberté, après la naissance de notre enfant.

Ella se mordit la lèvre. Sa proposition de lui accorder le divorce rendait plus absurde encore sa demande en mariage. Et pourtant, ce serait peut-être la seule issue à cette situation insensée. Car elle désirerait *forcément* s'en aller.

Toutefois, l'attitude arrogante de Hassan la révoltait. Pour lui, elle n'était qu'un morceau du puzzle qu'il avait commencé à assembler. Et puis, à la perspective d'aller vivre dans ce pays lointain avec lui, Ella entrevoyait toutes sortes de problèmes.

Elle se retrouverait seule avec un homme qui la méprisait… Dans de telles conditions, comment pourrait-elle jamais se sentir à l'aise ?

— Et si je refuse ? demanda-t-elle avec calme.

Hassan soutint son regard étincelant de défi. Ainsi, elle mesurait sa volonté à la sienne… Il se força à se rappeler qu'elle était enceinte, et explosive.

— Ne rends pas la situation plus difficile pour toi, Ella, dit-il d'une voix douce. Pourquoi ne pas te détendre et te reposer sur moi ?

Ses arguments étaient des armes redoutables, et très efficaces, reconnut Ella. Il s'attaquait là où elle était le plus vulnérable. Soudain, le désir de céder à la tentation la submergea. Hassan proposait de prendre soin d'elle… Cela lui était-il jamais arrivé qu'on se soucie de son confort ? Ella pensa au combat quotidien qui l'attendrait si elle assumait sa grossesse seule. Elle s'imagina allant travailler chaque matin dans un train bondé en se faisant un souci monstre à propos de ses finances.

Les yeux brillants, Hassan l'observait en silence. Serait-ce si terrible de le laisser s'occuper de tout ?

Comme une vague de nausée lui montait de nouveau aux lèvres, Ella ferma les yeux en attendant qu'elle passe. Mais cet instant de faiblesse acheva de la convaincre que Hassan avait raison.

— D'accord, dit-elle avec un profond soupir, j'accepte de t'épouser.

Hassan sourit malgré lui en contemplant son visage blême et son expression résignée.

Durant des années, des femmes somptueuses, au pedigree irréprochable, s'étaient disputées pour obtenir ses faveurs, prêtes à toutes les audaces, à tous les compromis. Et, finalement, sa future épouse *consentait* à se marier avec lui, avec une réticence manifeste…

9.

— Ainsi, tu t'appelles vraiment Cinderella ?

Ella détourna les yeux du désert qui s'étendait dans toute sa majesté et regarda Hassan. Son mari. Si elle n'avait pas été en proie à une légère nausée, elle aurait pu se croire au milieu d'un rêve étrange et mystérieux.

— Eh oui, hélas ! dit-elle en réussissant à sourire. Mon père a réussi à convaincre ma mère en lui disant que c'était le meilleur moyen de me faire épouser par un prince.

— Pour une fois, il a eu raison, remarqua Hassan avec humour. Je suis rarement surpris, mais je l'ai été, je l'avoue, en entendant l'officier d'état civil prononcer ton nom en entier tout à l'heure.

— Je ne le chante pas sur tous les toits, reconnut Ella. Mais mon père a tenu à ce qu'il figure sur les documents officiels.

— On a dû te taquiner souvent avec ça, à l'école.

— Oh ! Le simple fait d'être une Jackson était un motif suffisant, soupira-t-elle. Avoir un prénom ridicule en plus ne faisait pas une grande différence.

Hassan l'observa avec attention. Lorsqu'elle s'était présentée sous ce prénom, il avait pris cela pour une tentative de flirt et n'y avait pas cru un seul instant. Au fond, une telle attitude aurait corroboré sa vision stéréotypée des femmes, reconnut-il en son for intérieur.

— Tu n'es pas trop secouée ? Tu n'as pas mal au cœur ?

— Non, pas plus qu'à Londres, et mon état n'a rien à

voir avec la route ni la voiture. En fait, elle est si confortable que j'ai du mal à croire que nous roulons en plein désert !

— Sans doute parce que tu imaginais les routes du Kashamak comme des pistes poussiéreuses, cabossées et encombrées de chameaux ?

— Oui, peut-être, dit Ella en contemplant l'anneau brillant ornant son doigt.

Tout s'était passé si vite… Elle n'arrivait pas à croire que l'homme au visage austère assis à côté d'elle était vraiment son mari, et le père de l'enfant qu'elle portait.

Avait-elle commis une erreur en acceptant ce mariage précipité ? La perspective d'un divorce facile, le jour où elle désirerait rentrer en Angleterre, avait emporté sa décision.

Ella s'appuya au dossier de la banquette en cuir gris perle.

— Je dois reconnaître que je suis un peu dépassée ! soupira-t-elle.

Dès qu'elle était montée à bord du jet luxueux parqué sur un aérodrome privé, au nord de Londres, elle avait eu un aperçu de la nouvelle vie qui l'attendait. Puis le long vol avait commencé, sans escale. Rapidement, l'Europe s'était trouvée loin derrière eux et, après avoir contourné la mer Caspienne, l'avion avait atterri à l'aéroport de Samaltyn, capitale du Kashamak.

A bord du jet privé, les membres du personnel s'étaient montrés respectueux, efficaces et discrets, mais dès qu'elle et Hassan étaient sortis de l'appareil, l'hymne national avait retenti. Pour la première fois, Ella avait réalisé qu'elle se trouvait en compagnie d'un *vrai* roi. Et qu'elle était sa femme, aussi incroyable que cela puisse paraître.

Leur mariage avait eu lieu à l'ambassade du Kashamak, en plein centre de Londres, avec pour tout public les deux diplomates leur servant de témoins. En effet, personne n'avait été averti de l'événement, pas même leurs familles respectives. Hassan avait tenu à ce qu'aucun paparazzi ne vienne les surprendre.

Mais ce n'était pas la seule raison qui l'avait poussé à

refuser toute publicité autour de leur mariage, Ella le savait. Et si une simple déclaration avait été faite le matin, juste avant qu'ils n'embarquent à bord du jet, elle soupçonnait que Hassan était terrifié de voir son nom mêlé à celui de la famille Jackson. Et, au fond, il avait peut-être raison.

Ella imaginait très bien comment sa famille aurait pu saboter leur mariage. Son père s'enorgueillissant que sa fille épouse l'un des hommes les plus puissants du Moyen-Orient, sa mère jouant son rôle habituel de potiche à ses côtés. Et Izzy, voulant leur adresser ses félicitations… en chantant.

Par ailleurs, l'une de ses sœurs aurait pu découvrir la vérité qui se dissimulait sous son sourire éclatant et deviner son lourd secret. A savoir que Hassan ne l'épousait que pour imprimer sa marque sur l'enfant qui allait naître.

Et, maintenant qu'ils se dirigeaient vers son palais, à bord d'une somptueuse voiture climatisée lancée à grande vitesse sur des routes parfaitement entretenues, Ella se sentait de moins en moins à sa place. Elle avait laissé derrière elle tout ce qu'elle connaissait.

D'instinct, elle posa la main sur son ventre.

— Tu ne te sens pas bien ? Tu as mal ?

Ella secoua la tête. Elle n'allait pas commencer à se plaindre chaque fois qu'elle ressentait une petite douleur ou une vague de nausée…

— Je vais très bien, Hassan.

Contemplant ses doigts étalés de façon protectrice sur son ventre, Hassan sentit une impatience étrange le tarauder.

— Le bébé donne des coups de pied ?

— Non, pas encore.

— Quand bougera-t-il ?

— Bientôt, j'espère.

— Comment le sais-tu ?

Ella le regarda. Avec ses yeux noirs brillant de curiosité, il était d'une beauté somptueuse… Mais en même temps, il demeurait distant, inaccessible. Sa robe traditionnelle renforçait son côté étranger, exotique, la soie fluide mettant en valeur le corps viril et parfait qu'elle recouvrait. Ella repensa à ces instants volés, à cette étreinte interdite, au palais de Santina, quand ils avaient fait l'amour pour la première et unique fois.

Repoussant le désir qui faisait soudain frémir tous ses sens, elle se força à se concentrer sur sa question.

— J'ai trouvé des tas d'informations sur internet, expliqua-t-elle. Ils commencent à bouger aux environs de la seizième semaine.

— Et me laisseras-tu poser la main sur ton ventre pour le sentir bouger ? demanda-t-il tout à coup.

En dépit de l'air conditionné, Ella eut soudain chaud au visage. Sa question était tellement intime ! Leur nuit de passion remontait à si longtemps que, parfois, elle avait l'impression de l'avoir rêvée. Plus les jours passaient, plus leur étreinte lui semblait irréelle. Depuis, Hassan n'avait jamais manifesté le moindre désir de la toucher.

S'il posait sa main sur son ventre, le désir flamberait-il de nouveau entre eux ? Hassan ressentait-il encore de l'attirance pour elle ?

— Oui, bien sûr, répondit-elle avec calme.

Elle ne pourrait le lui refuser. Parce qu'il était le père, mais aussi parce qu'il l'avait tant aidée. Finalement, Ella l'avait laissé faire, avec une passivité sans doute due à son état, et aux nausées encore fréquentes.

Hassan avait fait venir plusieurs femmes prêtes à diriger l'agence à sa place et Ella les avait toutes reçues. A présent, Daisy travaillait avec entrain avec sa remplaçante, et tout se déroulait sans encombre.

Mais il n'y avait pas que son agence qui préoccupait Ella. En effet, elle apercevait de hautes et larges grilles dorées étincelantes, au-delà desquelles de grands palmiers entouraient un rectangle d'eau miroitant au soleil. Un vaste bâtiment ocre clair s'élevait au loin, si impressionnant qu'une fois encore, Ella se demanda si elle ne rêvait pas.

Soudain, tous ses doutes rejaillirent, redoublant ses craintes. Elle était une Jackson, et les frasques de son père s'étalaient dans la presse depuis des années. Comment pourrait-elle assumer son nouveau rôle d'épouse du cheikh avec assurance ?

— Hassan, murmura-t-elle. Et si les gens de ton peuple ne m'acceptent pas ?

Hassan se tourna vers sa femme en s'efforçant de la voir comme les autres la verraient pour la première fois. Ella portait une somptueuse robe traditionnelle de soie pourpre rehaussée de broderies couleur or, tandis qu'un fin voile doré recouvrait ses cheveux. Le khôl faisait encore ressortir la teinte de ses yeux, qui brillaient d'un éclat étrange. Désormais, elle ne mettait plus de rouge à lèvres écarlate, choisissant un délicat rose pêche qui ajoutait encore de la douceur à son visage ovale.

Son épouse était vraiment très belle, songea Hassan en sentant le désir frémir en lui. Elle souhaitait que sa première apparition au Kashamak respecte les traditions et le protocole, avait-elle dit. Ce dont il lui était reconnaissant. Eh bien, elle n'aurait pu mieux réussir, songea-t-il en contemplant le ravissant mélange d'Orient et d'Occident qui s'offrait à ses yeux.

— Tu n'as aucune inquiétude à te faire là-dessus, dit-il. Et de toute façon, mon peuple acceptera ce que je lui demanderai d'accepter.

— Et ton frère, Kamal ?

— Que veux-tu dire ?

— Je… Je suis impatiente de faire sa connaissance.

Il lui adressa un sourire artificiel.

— Malheureusement, tu devras attendre un peu car il a décidé de se retirer dans le désert, pour échapper aux contraintes de la vie à la cour.

Ella déglutit. Ou pour éviter de la rencontrer…

— Ne m'as-tu pas dit qu'il avait dirigé le pays pendant

que tu te battais sur la frontière ? Cela ne l'a pas contrarié de te passer les rênes ?

— Kamal va devoir s'habituer à de multiples changements, répondit Hassan d'une voix dure. Et accepter un nouveau rôle.

Il avait toujours laissé croire à son frère qu'il ne désirait pas procréer. A présent, Kamal pensait-il qu'il avait trahi sa parole et ce faisant, altéré le cours de leurs deux destinées ?

La voix d'Ella interrompit ses pensées.

— C'est notre enfant qui te remplacera un jour ? demanda-t-elle.

— Seulement si c'est un fils.

Il darda son regard de jais dans le sien.

— Sais-tu déjà s'il s'agit d'un fils, Ella ?

Ella sentit ses joues s'empourprer.

— Non, pas encore. Ils n'ont pas pu le dire lors de la première échographie et je…

— Qu'y a-t-il ?

Au supplice, elle secoua la tête. Elle détestait ces émotions ambiguës qu'il lui faisait ressentir !

— Je ne veux pas le savoir ! s'exclama-t-elle avec force. Je ne veux pas que ce genre de pression gâche ma grossesse. Je ne veux pas que tu sois content si c'est un garçon ni que ton frère se réjouisse si c'est une fille, parce que je serais tiraillée de toute façon. Et puis, je préfère avoir la surprise. Comme à Noël quand on ne sait pas ce qu'on va découvrir en déballant ses cadeaux.

— Au Kashamak, nous ne fêtons pas Noël, dit-il avec un sourire en coin.

— Eh bien, les cadeaux d'anniversaire, alors.

— Je ne connais pas non plus cela.

Ella le regarda avec incrédulité.

— Ne me dis pas que tu n'as jamais eu de cadeaux d'anniversaire ?

— Quelle importance ? répliqua-t-il en haussant les

épaules. Mon père était trop occupé pour se compliquer la vie avec ce genre de choses. Parfois, il y pensait, parfois pas. Je m'en fichais.

Le cœur d'Ella fit un bond dans sa poitrine. Bien sûr que c'était important, surtout pour un enfant. Ce jour-là, on se sentait spécial, toute l'attention était concentrée sur vous. On avait l'impression d'être aimé et choyé. Même quand il n'y avait pas beaucoup d'argent à la maison, sa mère réussissait toujours à organiser un semblant de fête pour célébrer l'événement. Pourtant, cela n'avait pas dû être toujours facile pour elle, songea soudain Ella.

— Et ta mère, ne prévoyait-elle pas un gâteau d'anniversaire pour son petit garçon ?

Hassan retint un juron. Le faisait-elle exprès ? Essayait-elle de s'immiscer dans ses pensées les plus intimes, comme la plupart des femmes ?

— Ma mère n'était pas là, dit-il d'un ton cinglant.

— Pourquoi ? demanda Ella d'une voix douce. Tu ne m'as jamais parlé d'elle, Hassan. Est-elle… Est-elle morte ?

A ces mots, il serra les poings.

— Non. Du moins, elle ne l'était pas, à cette époque. Elle nous a quittés pour aller vivre ailleurs, et je ne désire pas parler de cela. Surtout à un moment aussi important. Regarde, mes conseillers et tout le personnel du palais viennent nous accueillir. Prépare-toi, Ella : tu sais combien les premières impressions comptent.

Ella rajusta son voile d'une main tremblante. Elle se rappelait très bien sa première impression de lui. Il avait paru sombre et arrogant, d'une beauté ténébreuse qui l'avait touchée au plus profond d'elle-même. Ensuite, elle avait découvert une joie inconnue dans ses bras, pensant atteindre le paradis, avant de constater qu'il l'avait quittée lâchement, au beau milieu de la nuit. S'était-il agi d'une illusion ? se demanda-t-elle. Avait-elle rêvé ce lien mystérieux qu'elle avait ressenti entre eux ?

Le puissant véhicule s'arrêta et tout souvenir s'effaça

devant la réalité : comment devait-elle se comporter face à tous ces inconnus ?

— Savent-ils que je suis enceinte ? demanda-t-elle.

— Bien sûr que non, répondit Hassan avec l'ombre d'un sourire. Mais ne t'inquiète pas, Ella. La vérité s'imposera d'elle-même, sans qu'aucune annonce ne soit nécessaire. La plupart des gens ne se rendront compte de l'heureuse nouvelle que lorsqu'on leur présentera l'enfant, parce que jusqu'à sa naissance, ils te verront à peine.

Comment cela, ils la verraient à peine… ?

Ella n'eut pas le temps d'interroger Hassan car la portière s'ouvrait déjà tandis qu'une bouffée de chaleur lui montait au visage. Gênée par sa robe longue, elle sortit de la voiture le plus gracieusement possible, puis s'avança entre les haies formées par les conseillers et les serviteurs. Les premiers étaient tous des hommes, remarqua-t-elle, qui portaient des robes similaires à celle de Hassan, mais de facture plus modeste. Les seules femmes présentes étaient des membres du personnel. Elles baissèrent la tête avec respect quand Ella passa devant elles en murmurant les quelques salutations que lui avait apprises Hassan.

Quand elle pénétra un peu après dans le palais, elle fut impressionnée par les hauts plafonds, les sols pavés de marbre, le chatoiement de l'or et l'éblouissement du cristal. Allegra avait-elle ressenti la même émotion en arrivant au palais d'Alex pour la première fois ? Avait-elle été éblouie par le luxe qui régnait partout ? S'était-elle sentie écrasée par le poids de l'histoire et des traditions ?

Après avoir été élevé dans un tel environnement, on restait marqué à vie, songea Ella. La richesse imprégnait tout, la façon de penser, le comportement… Leur enfant serait élevé dans un palais. Toute cette splendeur lui appartiendrait un jour et elle n'avait pas le droit de l'en priver.

Hassan l'observa tandis qu'elle regardait autour d'elle

d'un air appréciateur. Evaluait-elle ses possessions et comprenait-elle que, désormais, elle ne manquerait plus jamais de rien ?

— Le palais te plaît ? demanda-t-il.

— C'est beau, murmura-t-elle. Vraiment *très* beau.

L'espace d'un instant, il se demanda s'il n'aurait pas dû suivre le conseil de son avocat et lui faire signer un contrat de mariage. Mais l'idée avait répugné à Hassan. Il lui avait semblé déplacé de demander cela à la mère de son enfant. Si elle posait des exigences faramineuses au moment du divorce, il les assumerait sans difficulté.

— Tu dois être fatiguée après un aussi long voyage, dit-il. Veux-tu voir tes quartiers ?

— Mes… *quartiers* ? répéta Ella d'un air stupéfait. Tu n'es plus dans l'armée, Hassan.

— En effet, pardonne-moi, fit-il avec un sourire.

En réalité, il souriait pour dissimuler sa légère confusion. En temps normal, il serait allé s'enfermer pour de longs conciliabules avec ses assistants et ministres, avant d'aller galoper à bride abattue dans le désert sur l'un de ses chevaux de race. Mais voici que sa routine rassurante se voyait rompue par une femme aux lèvres couleur pêche et aux yeux bleus.

Sa femme.

— Je vais te conduire à tes appartements — cela te convient mieux ?

— Je…

Ella le regarda avec surprise. Depuis des semaines, elle se préparait à la vie conjugale, se demandant tour à tour si elle était folle d'envisager une telle existence, ou si au contraire c'était le seul choix raisonnable. Mais depuis qu'elle avait accepté d'épouser Hassan, une pensée s'était immiscée en elle, l'aidant à tenir le coup : au lit, au moins, elle partagerait des moments fabuleux avec son mari. A Santina, il lui avait fait découvrir des plaisirs inouïs auxquels elle était impatiente de goûter de nouveau.

Ella rêvait même d'aller plus loin dans l'exploration des mystères de la volupté.

— Mais, allons-nous vivre séparément, maintenant que nous sommes mariés ? reprit-elle en s'efforçant de sourire.

Hassan secoua la tête pour chasser les visions brûlantes suscitées par sa question, ainsi que par la moue adorable qui arrondissait sa bouche sensuelle.

— Ce n'est pas la coutume. Autrefois, le monarque devait toujours se tenir prêt à partir au combat, et il ne voulait pas déranger sa femme en la quittant au milieu de la nuit. Par conséquent, ils occupaient des appartements séparés par nécessité, et non par luxe.

— Tu plaisantes ? demanda Ella, le cœur battant à tout rompre.

— Non, pas du tout. Je respecte la tradition, c'est tout, et en même temps je t'offre la possibilité de jouir d'un espace privé dont tu pourras disposer à ta guise.

Hassan vit ses yeux prendre leur teinte de ciel d'orage. Pour la énième fois, il se convainquit que cet arrangement était le plus approprié. Autant pour lui que pour elle. S'ils ne partageaient aucune intimité, le divorce serait bien plus facile.

— Ma culture est très différente de celle dans laquelle tu as grandi, Ella, dit-il d'une voix plus douce. Et si tu veux te sentir bien ici, tu vas devoir l'accepter.

Croyait-il qu'elle *se sentirait bien* en restant cloîtrée comme une nonne, sans jamais profiter de la merveilleuse chaleur de son époux ?

— Si je comprends bien, nous n'allons pas former un vrai couple ? demanda-t-elle franchement.

Hassan ne put s'empêcher de laisser errer son regard sur elle. Avec son voile doré encadrant son visage pâle, elle lui évoquait une statue fragile. Il aurait pu la prendre dans ses bras, l'attirer contre lui avant de prendre sa belle bouche en un baiser passionné. Mais il se ressaisit. Il ne s'agissait que d'un mariage de convenance, un contrat passé dans le seul but de légaliser la situation et d'assurer la légitimité de leur enfant. Dans ces conditions, mieux valait que leur mariage se borne à une relation purement formelle.

— Mais nous ne sommes pas un vrai couple, Ella. Nous n'avons jamais eu l'intention d'en être un, et je crois qu'il vaut mieux ne pas compliquer une situation déjà difficile, en feignant d'être ce que nous ne sommes pas.

Ella sentit ses paroles pénétrer en elle comme un souffle glacial. Très déçue et désemparée, elle le contempla en silence. A quoi ressemblerait sa vie si Hassan envisageait de garder ses distances avec elle ?

En tout cas, elle n'allait pas le supplier de dormir avec elle ! Ignorant la souffrance qui lui étreignait la poitrine, Ella s'avança avec lui dans un large couloir de marbre, en refoulant la question qui lui brûlait les lèvres : pourquoi ne lui avait-il pas dit cela *avant* de l'épouser ?

La réponse était simple : il s'était tu parce que s'il lui avait annoncé qu'elle mènerait une existence confinée et solitaire dans son lointain royaume, elle aurait refusé de le suivre. Aucune somme d'argent ni même la promesse d'un divorce rapide ne l'aurait persuadée de choisir une existence proche de la réclusion. Elle aurait trouvé le moyen de se débrouiller, parce qu'elle y aurait été obligée.

Hassan l'avait trompée, mais il était trop tard pour se lamenter sur son sort. Ella ne pouvait revenir en arrière. Elle pouvait seulement *réagir*, et non subir. Comme elle l'avait fait toute sa vie au cours des épreuves imposées par le destin, elle s'adapterait aux circonstances et en tirerait le meilleur parti.

Mais lorsque, depuis le seuil, Hassan annonça que le dîner serait servi à 20 heures et qu'un serviteur viendrait la chercher, Ella sentit sa détermination chanceler.

La porte se referma bientôt sur son mari, et elle se retrouva seule dans sa prison dorée.

Ella leva les yeux vers le lustre en cristal étincelant de

mille feux en respirant le parfum des roses placées dans d'élégants vases couleur or. Tout semblait parfait, et irréel.

Au fond, c'était comme si elle avait été déposée au milieu d'un décor de film superbe, mais totalement factice, songea Ella en tentant de refouler les larmes qui affluaient sous ses paupières.

10.

Dès que la jeune femme de chambre affectée à son service ouvrit la fenêtre, le parfum des fleurs se répandit dans la chambre. Ella s'appuya aux oreillers et prit la tasse de thé posée sur le ravissant petit meuble filigrané installé à côté de son lit.

Une nouvelle journée paradisiaque commençait…

A l'extérieur, la vaste piscine se tenait à sa disposition, où elle pouvait se baigner, ou se prélasser au bord du bassin, installée sur une chaise longue. De beaux jardins s'étalaient à perte de vue, variés et superbement entretenus, avec de nombreuses allées ombragées où elle avait tout loisir de se promener. Çà et là, dans des endroits choisis de façon à offrir les points de vue les plus spectaculaires, des bancs lui offraient la possibilité de se reposer et de rêver, ou de se plonger dans l'un des livres choisis dans la grande bibliothèque.

Ella pouvait obtenir tout ce qu'elle souhaitait. Sauf ce qu'elle désirait le plus : son mari. Elle aurait tant aimé revivre la passion qu'ils avaient partagée cette nuit-là, à Santina, lorsqu'elle avait goûté au plaisir charnel pour la première fois de sa vie. A présent qu'elle était sa femme, pourquoi s'en voyait-elle privée ?

Les nausées ayant maintenant disparu, Ella se rendait compte que lorsqu'elle avait accepté d'épouser Hassan, elle n'avait pas été en pleine possession de ses moyens. Il lui avait fait sa proposition au moment où elle était le plus vulnérable. Encore sous le choc de la découverte de sa grossesse et affaiblie par les nausées, elle avait laissé Hassan prendre le contrôle de la situation, et de sa vie.

Mais, désormais, elle se sentait mieux et bouillonnait d'énergie. Alors, puisqu'elle allait devoir rester là durant un certain temps, autant profiter au maximum de son séjour au Kashamak, et de son mari…

Le désir de Hassan pour elle était-il mort ? Ella demeurait persuadée du contraire. En effet, même si elle n'était vraiment pas experte en la matière, elle avait bien vu la lueur éclairant parfois ses yeux noirs, au cours de leurs dîners en tête à tête. Un soir, elle avait remarqué qu'il se raidissait au moment où elle se penchait pour choisir une prune de Damas dans la coupe de fruits. Il était resté immobile, comme pour se ressaisir. Non, il n'était pas insensible à sa proximité, Ella en était convaincue.

Quant à elle, elle désirait son mari. Follement. Et elle ne pouvait compter que sur elle-même pour changer cette situation absurde.

Tout en ignorant la petite voix qui lui répétait qu'elle était folle d'envisager de séduire un homme aussi fier et arrogant que Hassan, Ella commença à échafauder son plan.

Ensuite, elle attendit jusqu'au samedi suivant, parce qu'elle avait appris que ce jour-là, l'emploi du temps de Hassan était moins chargé. Et que le dimanche, il se levait souvent tard.

Après avoir choisi une robe dont la teinte bleu azur mettait ses yeux en valeur, Ella passa un temps fou à se coiffer et à se maquiller. Sans excès, toutefois, parce qu'elle avait aussi compris que Hassan préférait les femmes peu fardées. Le mascara noir profond et le gloss rose pêche étaient flatteurs, tout en restant naturels, constata-t-elle lorsqu'elle examina son reflet d'un œil critique.

Lorsqu'elle rejoignit son mari dans la salle à manger, Ella se trouvait en proie à un mélange d'excitation et de nervosité inouï. A tel point que, l'espace d'un instant, elle fut envahie par le doute : avait-elle raison de s'embarquer dans cette audacieuse tentative de séduction ? Et si Hassan la rejetait ?

Comme chaque soir, il se leva pour l'accueillir. Soudain, il lui parut très grand, et terriblement sexy. Ravalant ses craintes, Ella retrouva toute sa détermination : elle ne lui laisserait pas la possibilité de la rejeter !

Un serviteur remplit son verre d'eau fraîche, puis commença à servir le repas, mais Ella y prêta à peine attention. Puis elle picora dans son assiette blanche ornée de motifs dorés en s'efforçant de ne pas regarder le visage songeur de son mari.

— Tu ne manges pas grand-chose, dit-il en reposant sa fourchette à côté de son assiette.

— Tu trouves ? répliqua-t-elle d'un ton innocent.

— Oui.

Dans la lumière des nombreuses bougies illuminant la pièce, elle était particulièrement belle, songea Hassan en observant sa femme. Elle s'épanouissait de jour en jour et c'était un véritable supplice que de résister à la tentation qui le rongeait...

Il se força à se concentrer sur son manque d'appétit.

— Mon chef a fait appel à tous ses talents pour t'impressionner, mais il semble qu'il ait travaillé toute la journée pour rien...

— La nourriture est excellente, comme toujours.

— Alors, pourquoi y as-tu à peine touché ?

— Parce que je n'ai pas...

Ella chercha ses mots. Comment pourrait-elle arriver à séduire un homme qui s'évertuait à lui montrer qu'il ne voulait pas être séduit, en dépit du fait qu'ils étaient mariés depuis peu ?

Peut-être Hassan faisait-il partie de ces individus qui ne trouvaient du plaisir qu'avec des inconnues. Ou encore, peut-être le fait qu'elle soit enceinte lui répugnait-il ?

A moins que, tout simplement, il ne ressente plus aucun désir pour elle…

Le pouls battant à ses tempes, Ella repensa au plan qu'elle avait conçu. Alors qu'elle n'avait jamais séduit quiconque, elle s'en prenait à l'un des plus redoutables amants existant sur terre… Cependant, elle refusa de baisser les bras. Etre une Jackson comportait de nombreux inconvénients, mais aussi un avantage indéniable : en grandissant dans cette famille, on acquérait une bonne dose de détermination, et de cran.

Ella repoussa son assiette et s'appuya au coussin de soie rembourrant le dossier.

— Je n'ai pas très faim.

Hassan se sentit gagné par une sensation inconfortable.

— Il faut pourtant que tu manges.

Il se força à ignorer la façon dont les seins d'Ella étaient mis en évidence par la position qu'elle avait prise. Ils paraissaient si pleins, ils étaient si attirants… Mais n'avait-il pas résolu de ne pas penser à ses seins, à ses lèvres, ni à toute partie de son corps susceptible de lui rappeler les instants délicieux qu'ils avaient partagés ?

Ella changea de nouveau de position, ravie de constater que sa robe épousait maintenant la forme de ses cuisses comme une seconde peau. Voyant que Hassan semblait fasciné par son mouvement, elle lui sourit en rassemblant tout son courage.

— Je ne dors pas bien… Je ne cesse de penser à toi, endormi à quelques mètres de moi.

— Vraiment ?

Hassan se demanda ce qu'elle dirait s'il lui apprenait qu'il n'avait pas beaucoup dormi ces temps derniers. Que, obsédé par le souvenir de la douceur de sa peau et des courbes ravissantes de son corps, il ne pouvait trouver le sommeil.

— Oui… Et parfois, j'ai si chaud…

Dormait-elle nue ? Des visions érotiques se succédèrent

dans son esprit : celle de ses cuisses laiteuses, de ses seins hauts et fermes, couronnés de leurs pointes fières, couleur framboise… L'image se cristallisa de façon si précise qu'il faillit se couper tandis qu'il pelait une pêche.

Les doigts tremblants, il posa couteau et fruit.

— Le palais est climatisé, dit-il d'une voix rauque.

— Oui, je sais, mais parfois, j'arrête la climatisation dans ma chambre, parce que le bruit me gêne. Et…

Ella se maudit de s'être lancée dans ce bavardage stupide. Si elle espérait séduire son mari en lui parlant de l'air conditionné…

— Et je regrette que tu ne dormes pas avec moi.

Après avoir hésité un instant, elle le regarda droit dans les yeux.

— En fait, j'aimerais *beaucoup* que tu sois là, à côté de moi, dans mon lit.

Hassan se raidit. La séduction la plus élaborée n'aurait pas réussi à l'ébranler autant que le faisaient les paroles candides d'Ella. Sentant sa virilité se manifester sans équivoque, il fustigea sa femme en silence.

— Ce n'est pas une bonne idée, dit-il après s'être éclairci la gorge.

— Pourquoi ? Qu'est-ce qui nous empêche de dormir ensemble, au moins de temps en temps ?

Hassan secoua la tête. La peur de l'intimité, voilà ce qui les en empêchait. Ou plutôt, l'en empêchait, *lui*. Et la crainte tout à fait réelle qu'une telle intimité complique encore le mariage bancal qui les unissait. Devait-il expliquer à sa femme que le sexe pouvait parfois tout assombrir, tout anéantir, de façon inexorable, fatale ?

Mais comment aurait-il pu lui dire quoi que ce soit tandis qu'elle rejetait son épaisse chevelure en arrière, et qu'il imaginait ses boucles ruisselant sur son dos nu ?

— Ella…

— Oui ? chuchota-t-elle.

Une excitation insensée envahit Ella. Son mari laissait

enfin tomber son masque. Soudain, le cheikh redoutable dévoilait sa vulnérabilité, ses doutes. Il redevenait un simple être humain.

Imposant un contrôle impitoyable à sa libido, Hassan se leva.

— La journée a été longue, dit-il d'un ton sec. Viens, je vais t'accompagner jusqu'à ta chambre.

Le masque impénétrable avait repris sa place, constata Ella avec dépit. Elle avait échoué, de façon lamentable. Aurait-elle dû se montrer plus directe ?

Ce qui lui avait paru une idée brillante lui sembla soudain relever de la pure folie. Avec cette tentative ratée de séduction, elle n'avait réussi une fois de plus qu'à renforcer les préjugés de Hassan envers elle, une Jackson.

— Très bien, dit-elle d'une voix crispée en se levant à son tour.

Ella ignora la main tendue pour l'aider. La prenait-il pour une infirme ?

Sans dire un mot, elle s'avança à côté de lui dans les couloirs pavés de marbre qui donnaient d'un côté sur les jardins odorants. Seul le bruissement de leurs robes troublait le silence, ponctué de temps à autre par le chant d'un oiseau qui déroulait ses trilles mélodieux. Sans doute un rossignol, songea Ella. La beauté de son chant lui parut soudain insoutenable et elle se sentit envahie par un vide affreux accompagné d'une douleur aiguë : Hassan ne la trouvait plus désirable.

Le trajet menant à sa chambre lui parut interminable et, brusquement, Ella se demanda comment elle pourrait continuer à supporter une existence aussi solitaire. Hassan ne changerait sans doute jamais…

— Nous sommes arrivés, dit-il en s'arrêtant devant la porte des appartements d'Ella. Je te laisse.

— Oui.

Lorsqu'elle leva les yeux vers son visage, Ella fut sidérée de voir son expression. D'où venait cet éclat lugubre dans ses yeux ? se demanda-t-elle avec un frisson. L'avait-elle provoqué ? Sa pitoyable tentative de séduction avait-elle rappelé à Hassan qu'elle n'aurait jamais dû se trouver là ? Que sans l'enfant qu'elle portait, elle ne serait jamais venue au Kashamak ?

— Hassan, ce que j'ai dit tout à l'heure… Je… Eh bien, j'ai eu tort. Je t'ai provoqué de façon stupide.

Il resta silencieux un long moment et, quand il parla enfin, Ella eut l'impression qu'il s'arrachait la voix de la poitrine.

— Je ne veux pas te faire de mal, Ella.

— Je ne comprends pas, murmura-t-elle.

A cet instant, une telle douceur émanait de ses traits que Hassan fut assailli par une culpabilité inattendue. D'ordinaire, il utilisait les femmes avant qu'elles ne puissent l'utiliser, et il le faisait sans scrupules. Mais Ella était différente.

Et si elle nourrissait des attentes qu'il ne pourrait jamais satisfaire ? Si elle espérait qu'il se comporte comme les autres hommes, épris de leur épouse ?

Devait-il lui faire comprendre qu'il était sincère, que son cœur était vraiment froid ? Et qu'il serait plus facile de mettre un terme à leur mariage s'ils gardaient leurs distances l'un envers l'autre ?

Hassan baissa les yeux sur ses lèvres.

— Ne comprends-tu pas que cela compliquerait tout ?

— De quoi parles-tu ?

— De *ça* ! s'exclama-t-il d'une voix rauque.

Quand il l'enlaça et prit sa bouche avec passion, Ella s'embrasa aussitôt. Elle referma les bras autour de son cou et se pressa contre lui, presque prête à sangloter de joie. Ainsi, il la désirait toujours, et à en juger par la façon dont son corps viril réagissait, il partageait l'ardeur qui la consumait.

A cet instant, il ouvrit la porte sans cesser de l'embrasser et l'entraîna à l'intérieur du salon. Là, il écarta sa bouche de la sienne avant de prendre son visage entre ses mains.

— Je ne sais pas si je pourrai être assez doux, dit-il d'une voix aussi tremblante que ses mains.

— Tu n'as pas à être *doux* !

— Tu portes mon enfant, Ella.

Tournant la tête, elle effleura ses doigts sous ses lèvres.

— Eh bien, du moment que tu n'envisages pas de me ligoter et de me suspendre au plafond…

— Tais-toi.

L'espace d'un instant, Hassan réprima une folle envie de rire tandis qu'il passait les doigts dans sa merveilleuse chevelure.

— Et si nous nous y prenions lentement, cette fois-ci ? chuchota-t-il.

— Je ne sais pas si j'en serai capable, murmura-t-elle.

Peut-être ne le serait-il pas non plus, mais il resterait prudent et ferait attention. Après l'avoir soulevée dans ses bras, Hassan l'emporta dans la chambre où il la déposa sur ses pieds avant de lui ôter délicatement sa robe.

Ses sous-vêtements étaient ravissants. Le body moulait ses hanches fines, faisant ressortir la rondeur de ses seins et de son ventre. Il plissa les yeux en contemplant la dentelle couleur ivoire : c'était une parure digne d'une jeune femme au soir de ses noces…

Il passa le bout du doigt sur la bordure de soie d'où jaillissait un sein épanoui.

— Tu les as choisis pour moi ? demanda-t-il en regardant sa femme dans les yeux.

— Oui.

En effet, profitant des quelques heures de liberté qui lui restaient avant ce mariage précipité, Ella avait effectué quelques achats. Elle s'était alors demandé si elle était hypocrite d'acheter de nouveaux sous-vêtements pour ce simulacre de mariage. Mais à présent, elle était contente de l'avoir fait, surtout quand elle vit le feu couver au fond des yeux de Hassan.

— Ce genre de lingerie est idéal pour une lune de miel, continua-t-elle. Normalement, on choisit du blanc, mais dans ma situation ce n'aurait pas été approprié…

— Qui se soucie de cela ? répliqua-t-il d'une voix rauque.

— Tu veux dire que tu t'en moques ?

Hassan hocha la tête en silence. Il n'avait pas vu son corps depuis le soir des fiançailles d'Alex, à Santina. Il avait changé : ses seins étaient plus pleins et son ventre avait grossi.

Retenant une plainte, il posa sa paume sur le doux renflement. Sous ses robes, il n'avait pas soupçonné qu'il était devenu aussi volumineux. C'était son enfant qui grandissait là, songea-t-il avec une immense fierté.

— Tu es belle, murmura-t-il en la poussant lentement vers le lit.

Puis il se déshabilla à la hâte et la rejoignit.

— Je n'ai pas froid, dit-elle quand il remonta le jeté de soie sur eux.

— Ah bon ? Pourquoi trembles-tu, alors ?

— Tu le sais très bien, chuchota-t-elle en lui passant les bras autour du cou.

Ella attira son visage vers le sien et l'embrassa. Cette fois, Hassan sembla oublier toute retenue et répondit à son baiser avec fièvre.

Ivre du goût de sa bouche, elle ferma les yeux et s'abandonna aux caresses expertes de sa langue, tout en laissant glisser ses doigts sur son dos musclé. Il commença alors à la toucher. Partout.

C'était incroyable. Encore mieux que la première fois. Et lorsque Hassan dégagea ses seins de la dentelle qui les couvrait, puis se pencha pour prendre ses mamelons gonflés l'un après l'autre entre ses lèvres, Ella se mit à haleter.

Quand il fit glisser le body sur ses cuisses, elle laissa échapper une longue plainte.

Hassan avait dit qu'il s'y prendrait avec douceur, mais en fait…

— Ne bouge pas, dit-il en souriant d'un air moqueur.

— Je ne peux pas rester immobile !

Soucieux de ne pas peser de tout son poids sur son ventre, il bascula sur le dos et installa Ella sur lui, puis plaça l'extrémité de son membre excité à l'orée du merveilleux puits secret où frémissait le désir de sa femme. Mais dès qu'il commença à la pénétrer, il se sentit enveloppé par une sensation inconnue. Et lorsqu'elle poussa ses hanches en avant pour l'accueillir plus profondément en elle, Hassan fut parcouru de violents tremblements.

Soudain, il comprit : c'était la première fois qu'il faisait l'amour avec une femme enceinte, et la première fois qu'il n'utilisait pas de préservatif.

Il ferma les yeux. C'était… divin. Il avait surpris des conversations au cours desquelles des hommes parlaient du bonheur de *chevaucher à cru*, persuadé que lui-même ne vivrait jamais une telle expérience. Parce que la semence royale était trop précieuse pour être gaspillée par pur plaisir, ou à cause d'une incapacité à se retenir. Mais maintenant qu'il découvrait cette volupté incroyable, la sensation d'intimité qui se propageait en lui était presque insupportable.

— Je ne te fais pas mal ? murmura-t-il.

Incapable de prononcer un mot, Ella secoua la tête. Elle avait tant désiré ces instants !

— Je vais…, dit-elle bientôt dans un souffle.

— Oui, je le vois, et je le sens…

Hassan la regarda renverser la tête en arrière avec ivresse, puis entendit une plainte rauque franchir ses lèvres tandis qu'elle sombrait dans la jouissance. Le son de sa voix était si envoûtant qu'il ne put résister et s'abandonna à son tour. Des spasmes puissants l'ébranlèrent, avant de l'emporter dans un tourbillon incandescent.

Lorsqu'il laissa retomber sa tête sur l'oreiller, Hassan

se sentit à la fois vidé d'énergie et empli d'une joie infinie. Mais lorsqu'un peu plus tard, il passa le bras autour de la taille d'Ella pour la serrer contre lui, et qu'il se surprit à humer la fragrance brute de leurs corps enlacés, il se dit que ce genre de plaisir pourrait vite devenir une drogue.

Hassan déposa un baiser dans les cheveux soyeux de sa femme tandis que le silence se refermait sur eux et que le temps semblait suspendre son cours.

Il devait avoir dormi plus profondément que d'habitude car, lorsqu'il se réveilla, le soleil filtrait dans la chambre à travers les volets ouverts.

Tout d'abord, Hassan se demanda où il se trouvait, puis il découvrit le corps endormi d'Ella à côté de lui. Tout lui revint aussitôt. Cette nuit avait été… la plus érotique de sa vie.

Et maintenant, il se sentait *apaisé*, ce qui lui arrivait rarement. Toutes les questions qui l'assaillaient s'étaient volatilisées comme par enchantement. A présent, il aurait dû se précipiter hors du lit, s'éloigner de ce corps alangui… Mais, au lieu de cela, il prit une mèche de cheveux d'Ella et la lissa entre ses doigts avant de la laisser boucler sur sa poitrine.

— Tu dors ? chuchota-t-il à son oreille.

Ella sourit contre l'oreiller.

— Oui.

Il lui saisit la main et la posa sur son membre viril.

— Tu es une amante merveilleuse, murmura-t-il.

A ces mots, Ella sentit ses doigts se crisper sur son sexe ferme. Il s'attendait sans doute à ce qu'elle déploie tout un éventail de raffinements érotiques, qu'elle se livre à des jeux sophistiqués, alors qu'en réalité…

— Je ne suis pas la femme que tu crois, dit-elle en écartant sa main.

Pourquoi les femmes choisissaient-elles toujours le mauvais moment pour étaler leurs états d'âme ? se demanda Hassan en tressaillant.

— Quelle femme es-tu, alors ?

— Je n'ai pas l'habitude de séduire les hommes.

— Je m'en étais rendu compte, Ella.

— Ah bon ?

— Oui…, murmura-t-il en glissant la main entre ses cuisses chaudes. Hier soir, tu t'y es prise… en douceur.

— Avant ce soir-là, dans ta chambre, à Santina, je… Je ne m'étais jamais conduite de cette façon.

— Je suis ravi de l'apprendre, dit-il d'un ton sérieux.

— Je n'avais connu qu'un homme. Et je suis sortie avec lui pendant une éternité avant que nous ne couchions ensemble.

Après avoir vu l'exemple de ses parents, et constaté à quelles extrémités la quête du plaisir pouvait mener, elle avait été terrifiée par le sexe, s'avoua Ella pour la première fois.

— Mais ensuite, poursuivit-elle, je n'avais jamais…

Les mots restèrent bloqués dans sa gorge.

— Tu n'avais jamais joui, c'est cela ?

Hassan se souvint de la façon dont elle s'était accrochée à lui, à Santina. Des mots qu'elle avait murmurés, presque avec gratitude, quand elle s'était abandonnée à la jouissance dans ses bras.

— Non, répondit-elle en le regardant dans les yeux. Je t'ai induit en erreur : je ne suis pas la femme que tu croyais. Tu m'en veux, Hassan ?

— Je suis furieux, dit-il.

— C'est vrai ?

Il éclata d'un rire de gorge.

— Oh ! Ella ! murmura-t-il en caressant un ravissant téton rose foncé. Ne sais-tu pas que c'est le fantasme de tout homme que d'être le premier à éveiller les sens d'une femme ? Je suis ravi de t'avoir fait découvrir la volupté.

De savoir que tu vas tout apprendre de mes lèvres, de mes mains, de mon sexe…

Sa voix se transforma en un murmure sexy.

— Veux-tu que je te fasse maintenant découvrir le plaisir d'être *goûtée* par un homme ?

Ella hocha timidement la tête et lorsque Hassan laissa glisser ses lèvres sur son bas-ventre, elle sentit ses joues la brûler. Les sensations que la langue de Hassan faisait naître en elle étaient fabuleuses, tandis qu'il s'aventurait là, au plus intime de son corps…

Mais elle était aussi en train de découvrir le *vrai* danger du sexe, comprit-elle soudain. Car après avoir connu un tel ravissement, l'on était sans doute prêt à tous les excès pour le revivre…

11.

— Hassan, je ne peux pas continuer comme cela.

Hassan leva les yeux de son journal et la regarda. La lumière entrait à flots dans le salon où ils prenaient leur petit déjeuner, projetant de chauds reflets sur les boucles brunes qui ruisselaient sur les épaules d'Ella. Sa robe était ample et fluide, mais le renflement de son ventre attirait néanmoins le regard.

Comme chaque fois qu'il contemplait le corps de plus en plus épanoui de sa femme, Hassan ne put s'empêcher d'être émerveillé par ce ravissant tableau.

A présent, sa grossesse n'était plus un secret pour personne au palais. Et il ne pouvait s'empêcher de se demander si c'était la raison de l'absence prolongée de son frère. Hassan avait tenté maintes fois de contacter Kamal, mais en vain. Son retrait était donc délibéré.

Son jeune frère était-il blessé de se voir écarté du pouvoir par un éventuel futur neveu ? Ou simplement en colère, parce que, après avoir juré de ne jamais le faire, Hassan s'était marié et avait engendré un enfant ?

Cependant, il valait peut-être mieux que Kamal ne soit pas présent. En effet, s'il avait exigé de savoir quel allait être son nouveau statut, Hassan aurait dû reconnaître qu'il l'ignorait.

Rien ne se passait comme il l'avait prévu. Il se permettait des nuits douces auprès de sa femme. Il se laissait aller à un bonheur factice, s'avoua Hassan. Il s'octroyait une distraction agréable, en attendant la naissance de leur enfant.

Restait toujours la perspective d'un divorce rapide après sa venue au monde. Mais même s'il avait caressé l'idée qu'Ella retournerait en Angleterre en lui laissant son enfant à élever, Hassan avait finalement réalisé que cela n'arriverait jamais. En couchant avec une femme, l'on apprenait beaucoup de choses sur elle et, chez Ella, il avait découvert une douceur, une générosité immenses. Ces aspects de sa personnalité remettaient tous ses plans en question.

Revenant au présent, il la regarda avec attention.

— Qu'as-tu dit, s'il te plaît ?

— Que j'en ai assez de passer mes journées à ne rien faire !

— Tu t'ennuies ?

— Non, pas exactement. Mais j'ai envie de bouger, dit-elle en haussant les épaules. Les jardins sont merveilleux et je peux trouver tout ce que je veux à la bibliothèque, mais je…

— Oui ?

Ella soutint son regard ténébreux. Comment réagirait-il si elle lui avouait qu'elle aurait désiré passer plus de temps avec lui ? Que ne le voir qu'au petit déjeuner et au dîner, et passer ses nuits avec lui, ne lui suffisait pas ? Ella avait l'impression qu'elle ne réussirait jamais à l'atteindre. Qu'après les quelques confidences échangées lors de leur première nuit partagée au palais, Hassan s'était renfermé sur lui-même. Pourquoi se protégeait-il ainsi ? De quoi avait-il peur ?

En revanche, elle devait reconnaître qu'il se montrait le plus attentionné des maris, faisant même parfois sourire les serviteurs par son zèle.

Mais, en même temps, Ella avait l'impression qu'il la repoussait.

— J'ai besoin de m'investir dans quelque chose, dit-elle en soutenant son regard.

Il posa son journal sur la table et scruta son visage.

— Quel genre de *chose*, au juste ?

— Je voudrais faire ton portrait, Hassan.

Il la contempla d'un air songeur.

— A Londres, tu m'as promis que je pourrais peindre ici si je le souhaitais, continua-t-elle. Eh bien, c'est le cas. Quand… quand le bébé arrivera… Je n'aurai plus le temps de peindre, n'est-ce pas ? Alors, je voudrais le faire maintenant, pendant que j'en ai encore la possibilité.

Hassan tambourina sur la table, tout en reconnaissant que son idée n'était pas dépourvue d'intérêt. Sa propre incapacité à rester en place était légendaire et il avait du mal à s'imaginer en train de poser pendant de longues heures. Mais, par ailleurs, le peuple du Kashamak serait ravi d'avoir un nouveau portrait de lui, et Ella aurait une occupation.

— C'est envisageable, concéda-t-il. Du moment que tu n'oublies pas que je suis un homme très occupé et que mon temps est précieux. Je ne peux pas rester assis à ne rien faire toute la journée.

— Je le sais très bien. Je ne m'attends pas à ce que tu te livres à de longues séances de pose. Mais ça me plairait beaucoup que tu acceptes, Hassan.

En effet, elle avait besoin de se concentrer sur autre chose que son bébé et l'avenir incertain qui s'ouvrait devant elle. En outre, en observant son modèle, on apprenait des tas de choses sur lui…

— Alors, c'est oui ?

— Comment pourrais-je refuser puisque, manifestement, tu en meurs d'envie…

Il reprit son journal.

— Va voir Benedict et dis-lui de quoi tu as besoin.

— D'accord. Merci, Hassan.

— Va-t'en, s'il te plaît, et laisse-moi lire mon journal en paix, répliqua-t-il sans la regarder.

Ella alla trouver Benedict, le sourire aux lèvres. Comme toujours, l'assistant de Hassan se montra très amical. Sa gentillesse et sa disponibilité la surprenaient chaque fois. En effet, après lui avoir apporté des vêtements de rechange ce matin-là, à Santina, il avait dû penser…

En fait, elle ignorait ce qu'avait pensé cet Anglais aimable et discret. Surtout quand il l'avait vue ensuite s'installer au Kashamak, enceinte et mariée au cheikh.

Avec son efficacité habituelle, Benedict lui attribua une pièce spacieuse orientée au nord, située à l'extrémité du palais et à proximité des jardins. Ravie, Ella ouvrit grand les fenêtres pour laisser les parfums des fleurs embaumer son atelier improvisé. C'était l'endroit rêvé pour travailler !

Le jour de la première séance de pose, Ella avait installé une chaise devant un fond neutre. Après avoir examiné les portraits existants de son mari, où il figurait en uniforme militaire ou dans des tenues officielles impressionnantes, elle avait décidé de représenter Hassan vêtu de sa tenue quotidienne. Elle désirait montrer *l'homme*, pas le souverain.

Ella s'assit sur un tabouret en l'attendant. Il n'avait plus jamais fait allusion à sa mère, et n'avait pas dit grand-chose sur son père non plus. Et elle n'avait pas osé insister, de crainte de détruire leur entente fragile.

Mais, à présent, elle avait changé et elle voyait le monde autrement. La mère de Hassan n'était pas seulement une femme dont le nom suffisait à assombrir le visage de son fils aîné. Elle faisait aussi partie des ancêtres de l'enfant qui donnait maintenant chaque jour des coups de pied dans son ventre.

En outre, sa maternité imminente avait modifié le regard qu'Ella portait sur sa propre famille. Elle n'avait pas toujours approuvé leur façon de vivre, mais au fond, elle les aimait tous et ne pourrait jamais nier leur influence sur elle et sur l'enfant qu'elle portait.

Elle posa doucement la main sur son ventre. Sa mère avait-elle ressenti ce lien puissant qui la reliait à son enfant ? Pour la première fois de sa vie, Ella comprit combien il avait dû être difficile pour elle d'élever les enfants de Bobby, et d'accepter ceux qu'il avait eus hors de leur mariage. Il avait commis infidélité sur infidélité et elle avait fermé les yeux.

Et pourtant, Julie Jackson avait réussi à tenir tout son petit monde ensemble. Ella et ses frères et sœurs n'avaient pas disposé de beaucoup d'argent, certes, mais leur maison chaotique avait toujours résonné de rires — à l'inverse de ce grand palais silencieux où avait grandi Hassan. Essayant de l'imaginer en train de jouer avec son frère dans les immenses couloirs, Ella se dit qu'ils avaient dû s'y sentir bien seuls.

— Ella ?

Perdue dans ses pensées, elle ne l'avait pas entendu entrer.

— Excuse-moi, dit-elle en souriant. Je me trouvais à des milliers de kilomètres.

— C'est ce que j'ai constaté. Es-tu prête à commencer ?

— Tout à fait. Viens t'asseoir sur cette chaise, s'il te plaît. Oui, comme ça, c'est parfait. Je vais commencer par une série de croquis au fusain.

— Et moi, que dois-je faire ?

— Tu le sais très bien ! s'exclama-t-elle en riant. Tu as déjà posé pour des peintres.

— Oui, mais il s'agissait toujours d'hommes, jamais de la femme que j'avais tenue dans mes bras quelques heures plus tôt.

— Peux-tu ne pas parler de sexe, s'il te plaît ? répliqua-t-elle en esquissant quelques traits sur le papier.

— Pourquoi ?

— Parce que cela modifie l'expression de ton visage. Tes yeux deviennent brumeux et ta bouche se crispe.

Sa bouche n'était pas la seule à réagir, songea Hassan en bougeant imperceptiblement. Il observa les mouvements fluides de la main d'Ella tandis que son fusain glissait sur le papier blanc. Il se souvint alors des croquis représentant Izzy qu'il avait vus chez elle, à Londres. Le sujet avait été un peu outré à son goût, mais Ella avait du talent, c'était certain.

— Tu n'as jamais suivi de cours classiques ? demanda-t-il.

— Non, il n'y avait pas assez d'argent à la maison pour que je puisse m'inscrire dans une école d'art.

— Je croyais que ton père avait fait fortune ?

— Oui, plusieurs fois — avant de tout perdre. En plus, il devait assumer toutes ses pensions alimentaires.

— Il est réputé pour son goût des femmes.

— Il est aussi connu pour son amour des grands projets, et la tentation de réussir des coups formidables ! Résultat : il n'y avait jamais beaucoup d'argent dans la famille. Tout ce que nous possédions n'était jamais que temporaire.

— Je vois…

— Je ne sais pas si tu vois vraiment, dit-elle. Mais, surtout, j'aimerais que tu te taises, Hassan.

Il ne saurait sans doute jamais ce que c'était que de se demander s'il y aurait de quoi payer la facture de gaz, ou de fouiller dans tous les placards avant de ne trouver qu'une vieille boîte de conserve périmée…

Tandis qu'elle travaillait en silence, Hassan en profita pour la regarder. Ses gestes étaient précis et aucun bruit ne troublait le calme du studio, mis à part le frottement du fusain sur le papier et, de temps à autre, le chant d'un oiseau s'élevant dans les jardins.

Mais sous le calme apparent de leur vie, il sentait planer l'ombre de l'incertitude. Comme si le mécanisme d'une bombe à retardement avait été enclenché. Le temps s'écoulait, et tous deux attendaient un événement qui allait bouleverser leurs vies, d'une façon que Hassan ne pouvait, ni ne souhaitait, imaginer.

A plusieurs reprises, il avait vu Ella caresser son ventre, une expression rêveuse sur ses traits. Puis elle y avait dessiné de petits cercles, comme si elle jouait à un jeu secret avec l'enfant qui grandissait en elle. Hassan avait alors senti son cœur se serrer à la pensée que sa mère n'avait probablement jamais tissé un tel lien avec ses fils, puisqu'elle avait pu les quitter.

— Hassan, cesse de froncer les sourcils.

— Je ne fronce pas les sourcils.

— Si, je t'assure.

Ella s'arrêta de dessiner. Pourquoi son regard était-il soudain devenu aussi sinistre ?

— Qu'y a-t-il, Hassan ? demanda-t-elle avec douceur. Pourquoi cet air sombre, tout à coup ?

Elle le regardait avec une telle bienveillance, une telle douceur que d'instinct Hassan eut envie de la repousser. Elle voulait l'interroger sur son passé, comme toutes les autres femmes. Mais, avec Ella, il n'était pas en position de clore la discussion avant de s'en aller sans un regard en arrière. Elle portait son enfant et, par conséquent, il ne pouvait lui tourner le dos et la quitter aussi facilement.

Au fond, pourquoi ne pas lui dire la vérité ? De cette façon, toute cette douceur disparaîtrait de son visage. Et puis, elle comprendrait pourquoi il ne pourrait jamais aimer une femme.

— Je pensais à ma mère, dit-il.

Ella frissonna d'appréhension : il y avait eu une nuance sournoise dans la voix de Hassan.

— Tu ne parles jamais d'elle.

— Non, en effet. Tu ne t'es jamais demandé pourquoi ?

— Si, bien sûr.

Hassan serra les lèvres. Il ne l'avait jamais dit à personne. Lui et son frère n'en parlaient jamais ensemble. Ils avaient verrouillé leur mémoire, comme si ce rejet avait été trop douloureux à évoquer, même entre eux.

— Tu devrais peut-être le savoir, Ella. Cela t'aiderait peut-être à comprendre quel genre d'homme je suis vraiment.

La froideur de sa voix inquiéta Ella, ainsi que la lueur dure qui étincelait au fond de son regard.

— Ne m'en parle pas si tu ne le désires pas, murmura-t-elle.

Mais il semblait si rigide, si enfermé dans ses pensées qu'il ne l'avait sans doute pas entendue.

— Ma mère était une princesse de Bakamurat, un pays voisin, dit-il. Et elle était promise à mon père depuis son plus jeune âge, comme le voulait la tradition de l'époque. Ils se sont mariés alors qu'elle venait d'avoir dix-huit ans, et je suis né peu après. Deux ans plus tard, Kamal est venu au monde.

— Mais le mariage n'était pas heureux ?

Voyant ses mâchoires se crisper, Ella se reprocha sa naïveté.

— Excuse-moi de t'avoir posé une question aussi stupide. Il ne pouvait pas être heureux puisque… puisqu'elle est partie.

— Dans ce temps-là, la notion de bonheur n'avait pas la même importance, ni la même signification qu'aujourd'hui, répliqua-t-il d'un ton cinglant. Mais, du moins pendant les premières années, nous avons vécu une vie de famille satisfaisante, tous les quatre. Ou du moins c'est l'impression que j'en avais.

Il s'interrompit, le regard perdu dans le vague.

— Mais quelque chose est arrivé ? hasarda Ella.

— En effet, approuva-t-il d'une voix chargée d'amertume. Ma mère est allée chez sa sœur à Bakamurat, en nous laissant ici, Kamal et moi. Elle est restée absente plus longtemps que prévu, et quand elle est revenue, elle… elle avait changé.

— Comment cela ?

Tout d'abord, Hassan ne put répondre. Il avait enfoui tout cela au plus profond de lui, mais même maintenant, alors que les années auraient dû apaiser la blessure, il voyait encore l'air distrait de sa mère. On aurait dit qu'elle remarquait à peine sa présence. Et puis, elle avait minci et son beau visage paraissait plus grand, ses yeux plus noirs, confus. D'une certaine façon, jamais elle n'avait été aussi belle, et pourtant, même à cet âge précoce, Hassan avait senti l'anxiété de son père, de plus en plus vive.

Il entendait encore le son de leurs voix courroucées, alors que lui et Kamal étaient déjà au lit. Il se souvenait des silences atroces, le lendemain matin, au petit déjeuner.

— Elle était tombée amoureuse d'un noble de Bakamurat.

Hassan eut l'impression que sa propre voix résonnait dans le vide.

— Elle a dit qu'elle ne pouvait pas vivre sans lui. Mon père a d'abord montré une patience inhabituelle, puis finalement il lui a demandé de choisir entre cet homme et son mari.

Un silence pesant s'installa dans la pièce tandis qu'Ella le regardait avec tristesse. Et lorsqu'elle se décida à poser sa question, elle en connaissait déjà la réponse.

— Et elle a choisi cet homme ?

— Oui. Son amant, pas son mari. Elle est partie en laissant ses deux petits garçons, pour aller rejoindre « le seul homme qui la comprenait vraiment », a-t-elle dit.

— Qui t'a raconté cela ?

— Mon père.

Ella secoua la tête en maudissant les adultes. Lorsqu'ils avaient le cœur brisé, ceux-ci se laissaient aller devant leurs enfants, causant ainsi des souffrances indélébiles.

— Parfois, les parents en révèlent trop à leurs enfants, dit-elle d'un ton grave. Je me souviens d'avoir vu ma mère sangloter tandis qu'elle me racontait des choses sur mon père, que j'aurais préféré ne jamais entendre. Dans ces

122

moments-là, je crois qu'elle oubliait qui était la mère et qui était l'enfant. Les gens se laissent trop facilement aveugler par leurs émotions, hélas.

— Exactement ! C'est pour cela que je ne veux pas d'émotions — ni de ce soi-disant *amour*.

Un sourire cynique se forma sur ses lèvres.

— Pourquoi se soumettre à une émotion pernicieuse, qui pousse les gens à commettre des actes honteux ? poursuivit-il. Qui pervertit la notion du bon et du vrai. Et qui change ! L'amour est aussi inconstant que le vent. Après avoir fait le serment de passer sa vie avec mon père, ma mère a trahi sa promesse. Alors, comment les gens peuvent-ils croire à l'amour ?

Ella posa son fusain de crainte que Hassan ne voie à quel point ses doigts tremblaient. L'avertissement était clair. Mais elle voulait connaître la fin de l'histoire.

— Qu'est-il arrivé à ta mère ? demanda-t-elle.

— La honte attachée à sa conduite l'a poursuivie. Son noble amant a refusé d'épouser une femme portant une telle souillure. De toute façon, je crois qu'il n'en avait jamais eu l'intention. Elle avait élaboré ce fantasme dans sa tête. Et, bien sûr, mon père a refusé de la reprendre.

— Elle a souhaité revenir ?

— Oh oui ! Apparemment, elle voyait soudain ce qu'elle avait perdu : deux petits garçons et un homme, qui l'aimaient. Mais il était trop tard. Mon père était trop fier pour prendre le risque d'être ridiculisé une nouvelle fois. Après cela, elle a commencé à se laisser aller, elle ne mangeait plus… Elle est allée en Suisse et c'est là-bas que, au cours d'un hiver particulièrement rigoureux, elle a attrapé une pneumonie.

Ella n'avait pas besoin d'en entendre davantage pour comprendre que la pauvre femme était morte peu après. Cela se lisait sur le visage de Hassan.

— Et tu ne l'as jamais… tu ne l'as jamais revue ?

— Non.

— Hassan…

— Non ! répéta-t-il en rejetant la main qu'Ella tendait vers lui.

Il se leva et s'écarta de sa chaise, mais Ella ne se laissa pas intimider par sa réaction. Se rapprochant de lui, elle se haussa sur la pointe des pieds et referma les bras autour de son cou.

— Hassan, murmura-t-elle à son oreille. Cher, cher Hassan.

Son propre cœur battait si fort que Hassan eut l'impression de l'entendre résonner dans la pièce. Il aurait dû repousser Ella, mais sa joue était d'une douceur exquise contre la sienne, ses mains refermées sur sa nuque si caressantes, tandis que son ventre volumineux s'appuyait contre lui. Le ventre où grandissait *son* enfant.

Les émotions qu'il réprimait depuis trop longtemps rompirent le barrage, menaçant de le submerger.

A cet instant, Ella posa sa bouche sur la sienne. Sans réfléchir, Hassan l'embrassa, avec une faim qu'il n'avait jamais ressentie auparavant. Puis il referma les doigts sur ses seins, avant d'en caresser les pointes dures. Aussitôt, elle poussa des petites plaintes contre ses lèvres.

Un cri rauque échappa à Hassan, et il la repoussa pour aller fermer la porte à clé. Il revint vers elle et la prit dans ses bras, écrasant sa bouche sur la sienne et la dévorant avec fougue. Sans cesser un instant de l'embrasser, il fit remonter la robe d'Ella sur ses hanches, avant de caresser l'endroit chaud où palpitait son désir.

Quelques instants plus tard, il la pénétra en se plaçant derrière elle pour plus de commodité. Ella n'osa pas crier, même quand il s'enfonça profondément en elle et instaura un rythme inexorable. Elle déglutit lorsqu'il saisit ses épaules et l'embrassa dans les cheveux, en lui chuchotant des paroles étranges d'une voix hachée, dans sa langue natale.

Ses sens étaient avivés par l'intensité de son étreinte.

Jamais Ella n'avait ressenti cette urgence, cette passion incandescente. Hassan brisait toutes ses règles. Il lui avait révélé la vérité concernant sa mère et il lui faisait l'amour dans son studio, alors qu'il avait décrété qu'ils ne se toucheraient jamais en dehors de la chambre.

Son orgasme emporta rapidement Ella, presque trop vite. Elle eut l'impression de donner à Hassan *tout* ce qu'elle avait à lui offrir tandis qu'elle accueillait son dernier coup de reins. Puis elle entendit la plainte rauque qu'il laissait échapper en se pressant contre elle, et que sa semence se répandait au plus profond de son intimité.

Hassan…

Incapable de prononcer un mot, Hassan s'efforça de retrouver son souffle et ses esprits. Le visage enfoui dans les cheveux parfumés d'Ella, il ferma un instant les yeux et sentit une vague de culpabilité déferler en lui. Il l'avait utilisée, comme il utilisait toutes les femmes. Il avait pris le réconfort qu'elle lui offrait de la seule manière qu'il connaissait : le sexe.

— Cela n'aurait pas dû se produire, dit-il d'une voix rauque.

— Peut-être, mais je suis heureuse que cela se soit produit ! répliqua-t-elle avec force.

Retenant la réplique brutale qui lui montait aux lèvres, Hassan se retira et se rajusta.

— Comprends-tu pourquoi je suis l'homme que je suis ? demanda-t-il en prenant le visage d'Ella entre ses mains. Pourquoi je ne peux pas aimer ?

Ella le regarda, le cœur déchiré par la souffrance. Elle aurait voulu lui dire que l'attitude de sa mère n'était pas représentative de celle de *toutes* les femmes. Que de son côté, elle l'aimerait et le chérirait, s'il voulait bien lui en laisser la possibilité.

— Je comprends très bien, dit-elle doucement. Mais rien n'est immuable, Hassan. Et il n'y a aucune raison pour que tu ne changes pas.

Elle pouvait l'aider à changer.

Voyant l'espoir briller dans ses yeux bleus, Hassan se sentit en proie à un mélange d'amertume et de révolte. Elle ne soupçonnait rien, n'est-ce pas ? Elle ne pouvait même pas concevoir qu'il ait pu l'amener au Kashamak en espérant qu'elle repartirait. En lui laissant son enfant.

Il secoua la tête et fit tourner la clé dans la serrure.

— Je crois qu'il vaut mieux en rester là. La séance de pose est terminée, j'ai du travail.

Puis il quitta la pièce. Ella contempla la porte fermée en battant des paupières pour refouler ses larmes, puis elle baissa les yeux sur le dessin où était ébauché le visage de Hassan. C'était étrange, mais ces quelques lignes noires avaient réussi à capter l'essence de son mari. Le nez droit et aristocratique, la détermination contenue dans la mâchoire, les hautes pommettes sculptées, les yeux noirs — et vides.

Ella quitta le studio avant de refermer la porte derrière elle, puis s'avança lentement dans le couloir pavé de marbre blanc.

12.

En apparence, tout avait changé. Alors qu'au fond…
rien n'avait changé. Ella avait l'impression de vivre dans
une incertitude permanente, un flou étrange. Elle évoluait
dans le somptueux palais comme une invitée à qui son hôte
aurait permis de séjourner pour une période indéterminée.

En se confiant à elle, Hassan lui avait d'abord donné
de l'espoir, car elle avait pensé qu'il allait réfléchir à ce
qu'elle lui avait dit. Qu'il comprendrait qu'il pouvait
changer. Que, s'il le désirait avec assez de force, tout
serait possible.

Finalement, la vérité était peut-être toute simple : il ne
le désirait pas. La simple pensée de s'autoriser à ressentir
la moindre émotion répugnait à son mari. Ce qu'il avait
vécu enfant l'avait trop marqué, trop fait souffrir, si bien
qu'il ne pouvait imaginer de vivre autrement.

En tout cas, Hassan se comportait désormais comme
si rien ne s'était passé au cours de la première séance
de pose. Comme s'il n'était pas sorti un bref instant des
ténèbres qui semblaient envelopper son cœur, laissant Ella
entrevoir la souffrance qu'il y gardait enfouie.

A présent, c'était encore pire qu'auparavant. Parce
qu'elle avait compris qu'elle pourrait très facilement aimer
cet homme fier et torturé.

En tout cas, la passion brûlante qui avait jailli entre eux
n'était plus qu'un souvenir, car Hassan lui avait annoncé
un peu après qu'il ne comptait pas renouveler l'expérience.

— Tu veux dire que tu ne me trouves plus désirable ? avait répliqué Ella d'une voix tremblante.

— Je dis juste que ta grossesse est trop avancée, et que je ne pense pas que le sexe soit recommandé.

Ella s'était détournée pour dissimuler son désarroi. Les nuits étaient longues, les heures de solitude parfois à peine supportables, tandis qu'ils étaient allongés dans le grand lit l'un à côté de l'autre, sans se toucher.

Si elle n'avait pas été enceinte, elle aurait peut-être tenté un rapprochement. Mais, désormais, le simple fait de s'asseoir représentait un effort, aussi la moindre tentative de séduction aurait-elle été ridicule, et maladroite. En outre, Hassan s'endormait presque dès l'instant où il avait posé la tête sur l'oreiller.

Un matin, il sortit de la salle de bains et vint s'arrêter au pied du lit.

— Tu as l'air épuisée, remarqua-t-il. Tu ne dors pas bien ?

— Non.

Ella crut qu'il allait lui demander pourquoi, mais comme il la regardait en silence, elle se raidit. Elle n'allait certes pas se plaindre, ni quémander.

— Ce n'est pas grave, ajouta-t-elle d'un ton désinvolte.

— Non, mais ce n'est pas bon d'être aussi fatiguée, ni pour toi ni pour le bébé, répliqua-t-il d'une voix dure. Je vais réintégrer mes appartements dès aujourd'hui.

Par fierté, Ella se retint de lui demander de rester et, quelques instants plus tard, l'un de ses valets vint chercher ses affaires.

Désormais, elle dormirait seule…

Au fur et à mesure que passaient les journées, la solitude d'Ella augmenta jusqu'à atteindre un tel degré qu'elle commença à se demander à quoi rimait sa présence au palais. Sa seule activité consistait à continuer le portrait de son mari, et elle y mettait tout son désir frustré et son désespoir.

Par ailleurs, la chaleur constante et l'absence de saisons la désorientaient. Les fleurs du jardin semblaient fausses, le ciel trop bleu pour être vrai. Peu à peu, le magnifique palais se mit à ressembler à une cage dorée.

Dire que décembre commençait et que là-bas, en Angleterre, tout le monde préparait Noël… Ella imagina les illuminations de Regent Street, les rayons de boîtes de chocolats enrubannées… Elle songea aux ribambelles de papier auxquelles son père tenait tant. En dépit de ses défauts, il adorait Noël et avait transmis sa passion à ses enfants.

Sa famille se mit à manquer à Ella. Toute sa famille. Sa mère avait beau avoir des faiblesses, surtout par rapport à son mari, elle avait toujours été là pour ses enfants lorsqu'ils avaient besoin d'elle. Leur échange quotidien d'emails sembla soudain très insuffisant à Ella, d'autant que, dans le dernier, sa mère avait écrit qu'elle regrettait de ne pas voir sa petite fille enceinte.

Même ses sœurs lui manquaient.

Devait-elle retourner en Angleterre et s'en remettre à sa famille ? Ella n'en pouvait plus d'être considérée comme une potiche et d'être condamnée à la passivité.

Finalement, elle s'avoua qu'elle désirait rentrer dans son pays, auprès des siens.

Elle allait devoir le dire à Hassan. Bien sûr, elle le laisserait voir son enfant autant qu'il le désirerait. Il était hors de question qu'après avoir été négligé par sa mère, il soit privé de son fils ou de sa fille.

Dès qu'elle se sentit assez forte, Ella s'assit un matin à la table du petit déjeuner avec l'intention d'annoncer sa décision à Hassan.

Après avoir ajouté du miel à son bol de yaourt, elle

tourna lentement sa cuiller dans le mélange onctueux en sentant le regard de son mari dardé sur elle.

Ella reposa sa cuiller et leva les yeux vers lui.

— Tu ne dors pas mieux ? demanda-t-il avant qu'elle ne puisse dire un mot. Même en ayant le lit pour toi seule ?

— Non. J'ai de plus en plus de mal à trouver une position confortable.

— Y a-t-il quelque chose que je puisse faire pour t'aider ?

L'espace d'un instant, Ella fut tentée de lui demander de revenir partager son lit. Elle imagina un scénario idéal, dans lequel les joies et les problèmes seraient discutés et partagés. Puis elle vit leur relation telle qu'elle était vraiment : elle avait épousé un homme froid, qui l'avait prévenue qu'il *ne pouvait pas* aimer.

— Oui, dit-elle en empêchant sa voix de trembler.

Il fronça les sourcils.

— De quoi s'agit-il, Ella ?

— Je veux rentrer chez moi, dit-elle après un léger silence.

Hassan hocha la tête tandis qu'un étau lui enserrait la poitrine.

— Chez toi ?

— Oui. Je veux voir ma famille.

— Pourtant, je croyais que tu ne pouvais pas les supporter ?

— Oui, c'est vrai. Cela m'arrive souvent, dit-elle en soutenant son regard. Mais, au moins, ils ressentent des choses. Ils ont un cœur, même s'ils commettent des tas d'erreurs !

L'allusion était d'une clarté limpide. Mais, soudain, Hassan fut forcé d'accepter la vérité : malgré leurs défauts, les Jackson avaient le courage de faire face à leurs émotions. Leurs existences étaient chaotiques, certes, mais ils *vivaient* pleinement.

Il n'enviait quand même pas les Jackson ? Ne détestait-il pas tout ce tumulte ?

— Ils te manquent ? demanda-t-il en durcissant le ton.

Ella rassembla tout son courage.

— Oui. Ici, j'ai l'impression d'être une ombre, Hassan. D'être invisible. Je veux rentrer chez moi pour voir des visages amicaux et familiers, manger des *mince pies* et chanter des chants de Noël…

Horrifiée, Ella se rendit compte que les larmes lui montaient aux yeux et, lorsque Hassan tendit la main vers son bras, elle la repoussa.

S'il la touchait, elle était perdue.

— Tu as été très clair, poursuivit-elle. Tu ne me veux pas auprès de toi, alors ne te laisse pas impressionner par quelques larmes, s'il te plaît. Ma vie dans ce beau palais s'est transformée en une sorte de réclusion, et je commence à me demander si ce n'est pas ce que tu désirais, depuis le début.

Hassan retint son souffle. Il avait l'impression de s'être égaré dans un labyrinthe créé par lui-même, et que l'obscurité venait de s'y refermer. Il avait repoussé Ella pour se protéger et, maintenant, elle voulait s'en aller parce qu'elle ne supportait plus son attitude.

Il portait l'entière responsabilité de ce qui arrivait.

Après avoir contemplé son visage pâle, Hassan laissa descendre son regard sur son ventre et fut submergé par une vague de regrets atroce.

— Mais tu es enceinte de presque trente-six semaines, fit-il remarquer.

— Et alors ?

— Les compagnies aériennes ne te laisseront pas prendre l'avion.

— Etant donné que tu disposes d'un jet privé, Hassan, je ne vois pas où est le problème.

Hassan se leva en silence et se dirigea vers la fenêtre, l'esprit en proie à une foule de pensées contradictoires. Et s'il demandait à sa femme de rester, que se passerait-il ? Qu'attendait-elle vraiment de lui ? se demanda-t-il. Au fond de son cœur, il connaissait la réponse : elle désirait l'impossible ! Qu'il devienne l'homme qu'il ne pourrait jamais être.

Quand Hassan se retourna, elle le regardait, les yeux méfiants, les bras croisés sur sa poitrine. Et soudain, il comprit que, dans ce domaine de sa vie, il avait toujours montré une totale absence de courage. Avait-il si peur de revivre la souffrance de son enfance, qu'il ne prendrait aucun risque pour tenter d'accéder au bonheur ? Ne pouvait-il pas au moins *essayer* d'être celui qu'Ella désirait qu'il soit ?

— Tu as peut-être raison, admit-il. Je t'ai négligée, c'est ma faute. Mais si cela peut te consoler, je pensais que c'était la meilleure conduite à adopter.

— Pour qui ? Pour toi, ou pour moi ? riposta-t-elle vivement. Tu vas et viens à ta guise, royal et solitaire, pendant que je reste cloîtrée dans ce fichu palais !

— Je m'en rends compte, dit-il avec effort. C'est pour cela que je… Aimerais-tu faire un petit voyage ?

— Oui. Je viens de te le dire, Hassan : je veux rentrer en Angleterre.

— Non, je ne parlais pas de cela, répliqua-t-il en secouant la tête. Mon frère possède une tente traditionnelle de bédouin, en bordure du désert de Serhetabat. Ce n'est pas loin d'ici, mais on a l'impression de pénétrer dans un autre univers. Nous pourrions y aller passer deux jours.

Il plissa le front.

— Cela te changerait un peu. Qu'en penses-tu, Ella ?

En dépit de tout ce qui s'était passé entre eux, Ella était tentée par sa proposition. En passant deux nuits dans une tente de bédouin, forcément… Même si une petite voix lui susurrait qu'elle était folle, Ella se rendit compte qu'au fond de son cœur, elle désirait encore se rapprocher de Hassan.

— Je ne sais pas…

Sa réticence ne surprit pas Hassan, ni la lueur farouche qui brillait dans ses yeux.

— C'est un très bel endroit, dit-il. Le ciel du désert baigné par la clarté de la lune est un spectacle à ne pas manquer.

— Et ensuite, Hassan ? Que se passera-t-il ?

Hassan sentit une boule se nicher dans sa gorge.

— Si l'Angleterre te manque à ce point, tu dois rentrer. Je ne t'en empêcherai pas, et toi et notre enfant bénéficierez de mon soutien, je m'y engage.

Le cœur battant à tout rompre, Ella le regarda. Il lui offrait la liberté, mais celle-ci avait soudain pris un goût de poison.

— Et cela ne te dérangerait pas ?

— Bien sûr, ce serait plus simple de vous garder ici, toi et l'enfant, répondit-il avec un haussement d'épaules. Mais je ne te forcerai pas à rester. C'est à toi de prendre ta décision.

Ella secoua la tête avec irritation. Hassan était l'incarnation même de la beauté virile mais, en dedans, il était *glacé*. Elle avait épousé un robot, conditionné pour ne jamais rien ressentir : il se fichait qu'elle reste ou qu'elle s'en aille !

Et pourtant, au plus profond d'elle-même, Ella désirait faire ce voyage. Un petit espoir refusait de mourir, en dépit de tout ce qui se dressait contre lui.

— D'accord, allons-y, dit-elle en regardant son mari dans les yeux. Voir le ciel du désert au clair de lune, c'est peut-être tout ce dont j'ai besoin.

13.

Ils partirent le lendemain matin dans une Jeep, Hassan ayant pris lui-même le volant. De son côté, Ella était déterminée à profiter au maximum de cette petite escapade dans le désert, surtout que ce serait peut-être la seule et unique de sa vie. Hélas, un mal de tête l'empêchait de se sentir vraiment bien.

Lorsque Hassan se tourna vers elle, il vit qu'elle tirait sur sa ceinture de sécurité avec impatience.

— Tu es trop serrée ? demanda-t-il.

— Non, pas du tout. Regarde la route, s'il te plaît.

Elle était de mauvaise humeur, ce matin, songea-t-il en se concentrant sur la conduite.

— Là-bas, dit-il bientôt. Un peu sur la gauche, tu la vois ?

Ella plissa les yeux et aperçut au loin une petite tache bleue. Peu à peu, elle distingua une tente, grande, certes, mais assez banale.

— Elle reste inoccupée tout le temps ? demanda-t-elle.

— Elle l'est souvent, oui. Kamal y vint à intervalles irréguliers. J'ai envoyé des serviteurs pour la rendre habitable, mais ils doivent avoir regagné le palais, à présent.

Après avoir arrêté le véhicule, Hassan bondit sur le sol et huma l'air pur à pleins poumons en regardant le ciel bleu cobalt. Aussitôt, il sentit une énergie délicieuse courir dans ses veines.

Il alla ouvrir la portière du côté d'Ella, puis l'aida à

descendre. Pour elle, il ne s'agissait pas que d'une partie de plaisir, songea-t-il en voyant ses traits tirés. Au contraire, elle semblait traverser une véritable épreuve d'endurance…

— Bienvenue dans une vraie tente de bédouin, dit-il en souriant.

Ella réussit à répondre à son sourire. A vrai dire, elle se sentait épuisée, et il faisait encore plus chaud qu'elle ne s'y était attendue. Toutefois, elle voyait bien que Hassan faisait de son mieux pour lui faire plaisir, aussi résolut-elle de faire un effort pour savourer l'expérience.

S'éventant le visage de la main, elle suivit Hassan, mais lorsqu'elle pénétra après lui dans la tente, elle s'immobilisa sur le seuil. Non seulement une fraîcheur inattendue régnait à l'intérieur, mais elle se trouvait entourée d'un décor digne des *Mille et Une Nuits*.

Eclairée par des lampes en métal ouvragé, de riches tentures rouges ornées de motifs couleur or formaient une sorte de baldaquin. Toutes en nuances rose et turquoise, les parois de la tente produisaient une atmosphère douce et chaleureuse et, sur de somptueux tapis, des sofas bas étaient installés, entourés de volumineux coussins et de tables au plateau de cuivre. Ella ferma les yeux tandis que les notes d'un parfum épicé montaient à ses narines.

Son mal de tête avait disparu.

— C'est magnifique, murmura-t-elle en rouvrant les yeux.

A vrai dire, Hassan se souciait peu du décor : il était fasciné par l'expression qui illuminait le visage de sa femme. Elle était de plus en plus belle, songea-t-il en contemplant ses lèvres entrouvertes et ses yeux dépourvus de tout maquillage. Quant à son ventre…

— Si nous nous asseyions, dit-il d'une voix légèrement rauque. Je vais te préparer du thé : celui des Bédouins, il est réputé.

Ella s'installa sur l'un des gros coussins.

— Si tu veux.

Après avoir mis de l'eau à chauffer, Hassan mesura le thé et le sucre avant de les ajouter dans le pot. Mais quand il entendit le soupir haché d'Ella, il se retourna vers elle au moment où elle fermait les yeux.

— Tu te sens bien ?

— Je me sentirais mieux si tu cessais de t'agiter ! répondit-elle en soulevant un instant les paupières.

Hassan ne protesta pas. Elle était fatiguée, songea-t-il, ce qui était compréhensible. Il prit le plateau sur lequel il avait disposé les petites tasses et le thé.

— Quel est cette odeur étrange ? demanda-t-elle en fronçant les sourcils d'un air méfiant.

— C'est probablement la plante du désert qui donne au thé son parfum si particulier. Son goût ressemble un peu à celui de la menthe.

Ella déglutit.

— Je crois que je vais vomir.

— Mais non, ce n'est pas mauvais, je t'assure.

A cet instant, elle se rendit compte que quelque chose d'anormal se produisait dans son corps.

— Hassan, je me sens bizarre…

— Comment cela, *bizarre* ?

Elle déglutit de nouveau.

— Je crois que je vais accoucher…

— Ne dis pas de bêtises.

— Je ne dis pas de bêtises ! protesta-t-elle. Et comment peux-tu savoir ce que je ressens ? Tu es obstétricien ?

— Il reste encore quatre semaines avant le terme…

— Je le sais parfaitement et je m'en fiche ! Je te dis que le bébé va sortir, maintenant !

Se relevant à grand-peine, Ella sentit un flot tiède se répandre entre ses cuisses.

— Hassan ! haleta-t-elle. Je perds les eaux !

Hassan resta figé sur place en songeant à la salle de travail impeccable de l'hôpital de Samaltyn, à l'équipe de médecins et d'infirmières efficaces, prêts à intervenir dès qu'il les aurait prévenus.

— C'est impossible !

— Mais regarde ! *Regarde !*

Elle pâlit et lui prit la main en enfonçant les ongles dans sa chair.

— Hassan, je viens d'avoir une contraction !

— Tu en es sûre ?

— Bien sûr ! Oh ! Mon Dieu ! Le bébé arrive, alors que nous sommes coincés dans ce fichu désert !

Hassan se sentit gagné par une panique inconnue tandis que ses pensées tourbillonnaient à toute vitesse. Avaient-ils le temps de rentrer à Samaltyn ? A cet instant, Ella laissa échapper un halètement et posa sa main libre sur son ventre. Visiblement, ils n'en avaient pas le temps.

Pourquoi l'avait-il amenée là, alors que sa grossesse approchait de son terme ?

Mais quand il vit la terreur assombrir ses yeux bleus, Hassan comprit qu'il devait se calmer. Il devait garder son sang-froid, pour Ella. Il l'avait laissée tomber de bien des façons depuis son arrivée au Kashamak, mais cette fois elle se reposait entièrement sur lui et il devait se montrer à la hauteur.

Avec douceur, il l'aida à s'allonger sur les coussins. Puis, le cœur martelant sa poitrine, il se pencha au-dessus d'elle et lui prit la main.

— Ne bouge pas ! ordonna-t-il.

— Où veux-tu que j'aille ? dit-elle en se cramponnant à ses doigts. Hassan, où vas-tu ?

— Je dois sortir de la tente, pour appeler l'hôpital. Ici, ça ne passe pas.

— Ne me laisse pas ! chuchota-t-elle.

— Je reviens tout de suite, ma chérie.

Ma chérie… Ella se demanda si, en plus, elle entendait des voix. Vaguement, elle entendit Hassan parler à l'extérieur. Qu'il se dépêche, supplia-t-elle en silence. *Qu'il se dépêche…*

Quand il revint enfin, jamais elle n'avait été aussi contente de voir un être humain. Il s'accroupit à côté d'elle juste au moment où elle avait une deuxième contraction. Ella s'accrocha à lui, le souffle précipité.

— Tout va bien, dit-il en appuyant le front contre le sien.

Il était tout moite, constata Hassan avec un frisson.

— L'hôpital envoie un hélicoptère avec une équipe entière à bord, poursuivit-il. L'interne m'a dit qu'il te restait sans doute encore beaucoup de temps avant l'accouchement, surtout que c'est ton premier enfant.

Elle secoua la tête tandis qu'une nouvelle contraction lui déchirait les entrailles.

— Non ! fit-elle d'une voix rauque.

Hassan scruta son visage blême.

— Tiens bon, dit-il entre ses dents serrées. Ils seront bientôt là.

— Hassan, haleta-t-elle, il s'est trompé.

La sueur perlait à son front tandis qu'une nouvelle contraction lui arrachait un gémissement sourd.

— Qui ?

— L'interne. Je…

La douleur était si forte qu'Ella s'interrompit un instant.

— Le bébé veut sortir, *maintenant* !

— C'est impossible, dit Hassan en sentant son cœur cogner sous ses côtes.

— Si, c'est possible !

— Comment peux-tu en être sûre ?

— Je le sais, c'est tout !

Combien de temps faudrait-il à l'hélicoptère pour les rejoindre ? se demanda-t-il avec désespoir. Et pourrait-il repérer leur position ?

— Je vais voir s'ils arrivent, et appeler le médecin…

— Hassan, tu n'as pas le temps ! Reste avec moi !

Elle s'agrippa à son bras de toutes ses forces.

— Hassan, j'ai besoin de toi ! Je t'en supplie !

Quand il vit l'expression de son visage, Hassan comprit qu'elle disait la vérité. Leur bébé était sur le point de naître. Là. Maintenant. Et il était le seul à pouvoir l'aider. Il allait devoir mettre son propre enfant au monde.

Une sorte de vrombissement résonna dans ses oreilles, puis un calme étrange prit possession de lui. Comme au combat, quand tous les bruits se fondaient soudain dans le silence, juste avant d'affronter l'ennemi.

— Je suis là, dit-il en remontant sa robe sur ses jambes. Je suis là pour toi et tout va bien se passer. Chut, Ella. Reste calme. Respire lentement. Oui, c'est ça. *Très* lentement. La nature fera le reste.

— J'ai peur, murmura-t-elle en le regardant dans les yeux.

Lui aussi. Hassan était même terrifié. Mais il était expert dans l'art de dissimuler ce qu'il ressentait.

— Fais-moi confiance, Ella, dit-il en lui prenant les mains. Et crois-moi : tout va bien se passer, tu vas voir.

Ella hocha la tête en silence. En dépit de la douleur et de la peur, elle lui faisait entièrement confiance.

Cette fois, quand il voulut s'éloigner, elle le laissa faire. Hassan se pencha pour prendre une couverture moelleuse en se rappelant la première fois qu'il avait vu naître un poulain. Le valet d'écurie lui avait dit que les juments étaient comme les êtres humains, que chaque naissance était différente et que, la plupart du temps, cela se passait sans qu'il ait besoin d'intervenir.

Faites que ce soit le cas, pria-t-il en silence en repoussant les cheveux humides du visage d'Ella.

— Hassan !

— Je suis là. Continue à respirer, Ella. Oui, comme ça…

Les contractions se succédaient, de plus en plus intenses, de plus en plus rapprochées. Et de plus en plus douloureuses.

— Je n'en peux plus ! s'écria Ella.

— Si, Ella, tu vas y arriver. Parce que tu es forte. Tu es la femme la plus courageuse que j'aie jamais rencontrée.

Ses paroles se perdirent aux confins du cerveau d'Ella car une contraction violente la secouait sans pitié. Elle se mordit la lèvre tandis que quelque chose basculait dans son corps. Elle regarda alors les yeux noirs de Hassan, y lut une question muette et se rendit compte que quelque chose de très puissant se produisait en elle.

— Le bébé… Il va sortir…, dit-elle en haletant. Oh ! Hassan ! Hassan, aide-moi, je t'en supplie !

Hassan retint son souffle et se pencha, avant d'apercevoir le dessus d'une petite tête luisante.

— Tu te débrouilles très bien, Ella, dit-il d'une voix rauque. Tu es extraordinaire. C'est presque fini.

Confusément, Ella se souvint qu'elle avait appris qu'il ne fallait pousser que lorsqu'on ne pouvait plus faire autrement. Se raccrochant à cette pensée, et guidée par un instinct aussi vieux que le monde, elle murmura dans un souffle :

— Oui. Oui…

Ses traits étaient déformés par l'effort, constata Hassan en levant les yeux un instant. Brusquement, un son étrange franchit les lèvres d'Ella, entre cri et plainte.

— C'est bien, dit-il, le cœur battant à tout rompre.

Soudain, il se rendit compte qu'il regardait les cheveux noirs et collés du bébé.

Une grosse boule se nicha dans sa gorge.

— Encore une poussée, Ella. Tu crois que tu peux ?

— Oui ! Non ! *Je ne sais pas !*

— Si, tu vas y arriver, Ella.

Elle laissa échapper une sorte de rugissement sauvage tandis que Hassan tendait les mains pour recueillir son enfant.

Une sensation étrange se déploya dans sa poitrine, puis il sentit une paix inconnue se répandre dans tout son être. Une vie nouvelle frémissait entre ses mains…

Mais, bientôt, Hassan sentit l'épouvante l'envahir, car rien ne se produisait.

Le monde entier s'arrêta, le temps resta suspendu, puis un cri perçant déchira le silence.

La vue brouillée par les larmes, Hassan regarda le petit corps minuscule qui bougeait dans ses mains, avant de l'envelopper rapidement dans la couverture. Ensuite, il le déposa avec délicatesse sur le ventre d'Ella.

— Tout… Tout est normal ? demanda-t-elle d'une voix faible.

— Notre fille est parfaite, ma chérie. Absolument parfaite, comme toi.

Lorsque Ella tendit une main tremblante pour caresser la tête de son enfant, elle regarda Hassan et constata avec stupéfaction qu'il pleurait. Une émotion infinie lui étreignit le cœur. Il avait été présent pour elle, au moment où elle avait eu le plus besoin de lui. Il l'avait aidée à accoucher.

A cet instant, elle entendit le bruit du moteur de l'hélicoptère qui se rapprochait.

14.

Le cœur lourd, Hassan referma la porte du studio et se dirigea vers la nursery. Il ne pouvait plus repousser ce moment. Il était temps d'accepter la vérité et d'y faire face.

Il avait attendu qu'Ella soit complètement rétablie, dans l'espoir que de son côté il n'éprouverait plus de remords.

Mais les regrets lui collaient à la peau. Et il savait qu'il n'y avait qu'un seul remède à son état. Cependant, par une cruelle ironie du sort, tout son univers s'écroulerait alors autour de lui.

Hassan trouva Ella debout devant la fenêtre du salon de la nursery. Pieds nus, vêtue d'une robe de soie couleur ivoire et ses beaux cheveux cascadant dans son dos, elle regardait l'une des petites fontaines jaillir en un gracieux arc de cercle.

L'ayant entendu entrer, elle se retourna vers lui. Ses yeux bleus brillaient, mais Hassan y discerna une ombre, comme si elle aussi avait deviné que l'instant de vérité était arrivé.

— Ton père vient d'appeler, Ella.

— Oh… Que voulait-il ?

— Il désirait savoir si nous envisagions d'assister au mariage d'Alex et d'Allegra.

— Et que lui as-tu répondu ?

— Que nous ne savions pas encore. J'ai eu raison, n'est-ce pas ? Il y a tant de questions que nous n'avons pas réglées… Et il me semble que celle concernant le mariage de ta sœur n'est pas la plus urgente.

Ella hocha la tête, mais son cœur avait sombré dans sa poitrine. Elle redoutait tant de prendre une décision ! Sans Hassan, l'avenir lui parut soudain si sombre, si glacé, qu'elle ne put retenir un frisson.

Jusqu'au bout, elle avait espéré qu'ils pourraient oublier le passé et repartir de zéro, misant sur l'amour — oui, l'amour — qui avait vibré entre eux après la naissance de leur bébé. Ils avaient alors partagé un moment de joie pure en accueillant l'être minuscule qu'ils avaient créé.

Ils étaient revenus à Samaltyn dans l'effervescence générale car tout le monde célébrait la naissance de l'enfant du cheikh. D'un commun accord, et avec un mélange d'humour et de tendresse, ils l'avaient appelée Rihana, car ce prénom évoquait une plante odoriférante sauvage.

Pendant quelques jours, Ella avait été en proie à des émotions intenses qui lui avaient permis de se bercer d'illusions. Ils formaient un couple presque normal tout à coup, émerveillé d'avoir eu un enfant.

Mais, rapidement, ils étaient redevenus le couple d'avant, celui qui n'avait rien résolu du tout. Ils étaient alors restés sur le qui-vive, comme si chacun attendait que l'autre fasse le premier pas.

— Tu envisageais de rentrer chez toi, dit Hassan d'une voix rauque. Y songes-tu encore ?

Ella tressaillit. Durant les jours idylliques qui avaient suivi la naissance de Rihana, elle avait oublié toutes ses incertitudes, mais la question de Hassan les ravivait douloureusement.

Rien ne changerait jamais entre eux, songea-t-elle. Car Hassan ne le désirait pas plus qu'avant la naissance de leur fille. C'était même encore pire puisqu'il semblait maintenant souhaiter qu'elle s'en aille.

— Je pensais attendre…

— Attendre quoi, Ella ? l'interrompit-il d'un ton

amer. Que je m'attache encore plus à Rihana et que cela me devienne insupportable de la voir s'éloigner de moi ?

— Tu désires que je m'en aille, dit-elle en baissant les yeux.

Voulait-elle retourner le couteau dans la plaie, et rendre cette épreuve encore plus difficile qu'elle ne l'était déjà ? se demanda Hassan en réprimant un juron. Cependant, il ne pouvait l'en blâmer, et il méritait tous les coups qu'elle allait lui porter.

— Je ne voix pas d'autre alternative, répliqua-t-il d'une voix dure. Tu es forcément impatiente de quitter l'homme qui t'a forcée à venir ici, alors que tu désirais rester à Londres. Un être sans cœur, incapable de montrer la moindre compassion. Parce que, maintenant, je me regarde avec tes yeux, Ella, et je n'aime pas ce que je vois.

— De quoi parles-tu ? chuchota-t-elle.

Il secoua la tête avec dégoût.

— Ce portrait ! Je sors de ton studio et j'ai vu le portrait que tu as peint. C'est celui d'un homme ravagé…

— Hassan…

— La part obscure est visible, là, sur la toile !

— Que veux-tu dire, Hassan ?

Il devait lui avouer. *Tout*. Ella devait savoir jusqu'où il était allé dans ses sombres machinations, et cette fois ce serait la fin de leur mariage, pour de bon.

— Tu veux savoir pourquoi j'ai tant insisté pour que tu viennes au Kashamak, quand j'ai appris que tu étais enceinte ?

— C'était pour me contrôler, n'est-ce pas ? Tu voulais être sûr que je vivrais ma grossesse conformément à tes principes.

— Oui. Mais derrière cette raison, une autre se dissimulait, bien plus perverse, avoua-t-il. Je pensais que tu aurais du mal à t'adapter. Et que la maternité ne conviendrait pas à ton style de vie.

— Que veux-tu dire ? Je ne comprends pas, murmura-t-elle.

— A l'époque, j'entretenais encore l'illusion que tu étais une femme superficielle. Une sorte de papillon mondain. Je croyais que tu détesterais vivre ici et que tu voudrais recouvrer ta liberté. Et c'est ce que je désirais moi aussi.

Ella vit un muscle tressaillir dans sa mâchoire.

— Tu pensais que je m'en irais, devina-t-elle soudain. Et que je te laisserais le bébé, c'est cela ?

— Oui, répondit Hassan en soutenant son regard.

— Tu voulais l'élever comme ton père vous a élevés autrefois toi et ton frère, sans mère ?

— Oui. Ce n'est que durant ces dernières semaines que j'ai réalisé que mon plan était absurde. J'ai compris que je ne pouvais pas infliger à mon enfant ce que j'avais enduré moi-même. Mais j'en avais eu l'intention.

Les joues blêmes, elle le contempla en silence.

— Comme tu dois me haïr, Ella…

Si elle le haïssait, ce serait peut-être plus simple, se dit Ella. Mais n'était-ce pas justement ce qu'il souhaitait, dans la part la plus obscure et la plus complexe de son être : qu'elle le haïsse ? De cette façon, il se sentirait conforté dans ses préjugés envers les femmes.

Personne n'avait été là pour Hassan, réalisa-t-elle soudain. Après le départ de sa mère, il n'avait laissé personne l'approcher. Aurait-elle le courage de tenter de percer la carapace dont il s'était entouré ? En prenant ainsi le risque d'essuyer un nouveau rejet ?

Mais si elle s'en allait, elle se condamnait à une vie de regrets. Jusqu'à la fin de ses jours, elle ressasserait son échec — parce qu'elle n'aurait pas eu le courage de mettre sa fierté de côté et de tout essayer pour rester auprès d'un homme qui avait tant besoin d'amour. De *son* amour, et de celui de leur fille.

Sauraient-elles aider son cœur meurtri à guérir ?

— Je ne te hais pas, Hassan, dit doucement Ella. Au

contraire : je t'aime. Même si tu ne veux pas de mon amour. Et que tu as tout fait pour que je te déteste. Tu vois, cela n'a pas fonctionné… Et si tu me demandais de rester, avec Rihana, d'être ta femme, dans tous les sens du terme, je le ferais avec joie. Mais à une condition.

Ses paroles avaient d'abord apaisé Hassan, jusqu'à ce qu'elle prononce le mot *condition*.

— De quoi s'agit-il ? demanda-t-il avec méfiance.

— J'ai besoin de savoir que je compte pour toi, au moins un peu. Qu'il y a un brin d'affection dans ton cœur, que nous pourrons peut-être faire grandir. Et que tu le nourriras, Hassan. Parce que j'ai appris à aimer tout ce sable qui nous entoure, mais je ne peux pas vivre dans un désert émotionnel.

Durant un long silence, il la regarda avec admiration. Elle était tellement plus courageuse que lui !

— Il n'y en a pas un brin, dit-il d'une voix rauque.

— *Pas un brin ?* répéta-t-elle sans comprendre.

— Non, pas un brin, dit-il en secouant la tête. Parce que c'est une jeune plante avide de s'épanouir qui frémit dans mon cœur, Ella !

Submergé par une émotion incroyable, Hassan tendit les bras vers sa femme.

— Mais je ne sais pas si le mot d'affection convient, parce que j'ai compris depuis déjà longtemps que cette émotion portait un autre nom, poursuivit-il en la serrant contre lui.

— Quel est ce nom ? demanda-t-elle d'une voix douce.

La réponse brillait dans ses yeux et sur tout son visage, mais Ella avait besoin de l'entendre.

— Ella, je… je t'aime. Tu entends comme j'ai du mal à prononcer ces mots, mais je suis sincère. Je t'aime, de tout mon cœur, de tout mon être. Tu représentes tout ce que j'aime et admire chez une femme, et je remercie le destin qui nous a permis de nous rencontrer. Tu m'offres ton cœur alors que je ne le mérite pas…

— Non, ne dis pas cela ! l'interrompit-elle en prenant son visage entre ses mains. C'est l'enfance que tu as eue que tu ne méritais pas. Comme moi, peut-être. Mais il est temps que nous vivions de belles choses : elles sont là, à notre portée, Hassan ! Et nous devrions commencer tout de suite, tu ne crois pas ? Je ne parle pas de luxe ou de privilèges, mais de nous trois : toi, moi et Rihana.

— Oui, tu as raison, murmura-t-il.

Il prit ses lèvres avec passion, mais aussi avec une autre émotion qui dépassait la passion et même l'amour. Son baiser avait le goût de la compréhension et du pardon. De l'engagement et du partage.

Ella frémit au plus profond de son cœur : Hassan désirait construire un foyer heureux pour la petite fille qui dormait paisiblement dans son berceau, comprit-elle.

Bobby Jackson avait prénommé sa fille Cinderella parce qu'il souhaitait la voir épouser un prince, et d'une certaine façon, son rêve ambitieux s'était réalisé.

Mais Ella et son mari partageaient d'autres aspirations pour leur fille, si bien que le deuxième prénom qu'ils avaient choisi pour Rihana était Hope.

C'est-à-dire *Espérance…*

La couronne de
SANTINA

*Tournez vite la page et découvrez,
en avant-première, un extrait du troisième roman
de votre saga Azur, à paraître le 1er juin…*

— Trente jours…

— Oui, un mois.

— Merci, monsieur… Merci, *Ben*. Je sais compter, répliqua-t-elle en plissant les paupières.

— Lire *et* compter : vous êtes vraiment parfaite.

Elle resta silencieuse, mais de la fureur étincelait dans ses yeux, mêlée à un éclat plus sombre. C'était presque de la haine, songea Ben. Soudain, il se sentit mal à l'aise à la pensée d'avoir pu la blesser.

— Si vous tenez jusqu'au bout, comme l'a exigé votre père lui-même, reprit-il, alors notre marché initial restera valable : je serai à vos ordres pendant une journée entière.

La veille au soir, cette perspective n'avait pas été loin de paraître attirante à Ben. Mais, à présent, il imaginait facilement que la princesse Natalia lui infligerait les pires supplices…

Pour l'instant, elle le contemplait d'un air distant. Ben laissa errer son regard sur son corps mince, mis en valeur par une ravissante robe d'un beau rose pastel.

— Vous m'en croyez incapable, dit-elle enfin.

— Vous ne m'avez pas donné beaucoup de raisons de penser le contraire.

Un éclair incendia ses yeux.

— Vous ne me connaissez pas.

— J'ai lu quelques anecdotes vous concernant…

— Vous croyez tout ce que raconte la presse ? l'interrompit-elle avec dédain. Mais, dites-moi, votre famille a elle aussi fait la une des journaux à scandale — à plus d'une reprise. Par conséquent, il me semble que vous êtes mal placé pour me juger.

Ben se raidit. Il détestait la façon dont sa famille alimentait les ragots publiés dans les médias. Depuis son adolescence, il s'acharnait à s'élever au-dessus des rumeurs colportées par les journalistes et s'évertuait à empêcher l'intrusion de ceux-ci dans sa vie. Il se rappelait encore l'expression du visage de sa mère quand elle ouvrait les journaux. En effet, elle n'avait jamais pu s'empêcher de les lire, examinant avec avidité les photos de Bobby Jackson, avec sa dernière maîtresse à son bras. Dans un torchon sordide, elle avait vu la photo de Ben, son fils âgé de quatre ans à peine, avec ses joues souillées de larmes.

Trente années plus tard, Ben frémissait encore à ce souvenir.

— Vous avez raison, dit-il avec calme. Mais j'ai constaté que les rumeurs les plus scandaleuses contenaient toujours une once de vérité.

— Une once *infime*.

— Voulez-vous dire que vous avez été victime de diffamation ?

— Je dis que je gagnerai votre pari ridicule, répondit-elle en pinçant les lèvres. De toute façon, je n'ai pas le choix, n'est-ce pas ?

La princesse se leva, les yeux étincelants et les pommettes rose vif. Elle était vraiment superbe.

— Eh bien, je serai ravie de vous révéler ce que j'attends de vous durant une journée entière, poursuivit-elle.

Ben laissa échapper un rire un peu rauque.

— Pas autant que je le serai de vous satisfaire, soyez-en certaine.

Puis il ouvrit le tiroir de son bureau où il avait rangé le T-shirt mis de côté pour elle.

— Voici votre uniforme, dit-il en le lui lançant.

Elle l'attrapa au vol avant de le contempler d'un air perplexe.

— C'est un T-shirt, expliqua-t-il aimablement. Pour vous.

Elle déchiffra le logo imprimé sur le devant en fronçant les sourcils. Allait-elle refuser de le porter parce qu'il arborait son nom ? s'interrogea Ben en l'observant avec curiosité.

— « Fondation Jackson pour la jeunesse et le sport », lut-elle à voix haute.

Après avoir relevé les yeux, elle lui adressa un sourire méprisant.

— Il faut que votre nom s'étale partout, n'est-ce pas ?

Cette fois, Ben sentit son calme le déserter.

— Comment aurais-je dû appeler ce projet, d'après vous ? riposta-t-il. Ces camps signifient beaucoup pour moi, princesse, et je vous conseille de faire attention : ma patience a des limites et vous ignorez de quoi je suis capable.

Serrant le T-shirt contre sa poitrine, elle répliqua calmement :

— Je pourrais vous dire la même chose, Ben Jackson : vous n'avez aucune idée de ce dont je suis capable.

collection *Azur*

Ne manquez pas, dès le 1er juin

UN BOULEVERSANT INTERLUDE, *Anna Cleary* • N°3356

Quand elle croise le regard brûlant de son nouveau voisin, Guy Wilder, Amber sent la panique l'envahir. Certes, cet homme est beau à se damner, et son sourire irrésistible, mais comment peut-il déclencher en elle un désir aussi soudain, aussi violent ? Une question qu'elle cesse très vite de se poser lorsque Guy lui fait clairement comprendre qu'elle lui plaît : sans pouvoir résister, Amber se laisse emporter par la passion. Jusqu'à oublier, l'espace d'une nuit, que ces moments magiques ne sont sûrement pour lui qu'un délicieux interlude, et qu'il se lassera très vite d'elle…

CONQUISE PAR UN PLAY-BOY, *Lucy Ellis* • N°3357

Play-boy & Milliardaire

Alors qu'elle passe des vacances à Saint-Pétersbourg, Clémentine fait la connaissance de Serge Marinov, un séduisant homme d'affaires russe qui lui inspire tout de suite un intense désir. Si intense, qu'elle n'a pas la force de lui dire non lorsqu'il lui propose de prolonger ses vacances en l'accompagnant à New York pour quelques jours. Comment refuser, alors qu'elle n'attend qu'une chose : qu'il la prenne dans ses bras et l'embrasse avec passion ? Pourtant, elle pressent qu'elle commet peut-être une terrible erreur : supportera-t-elle le moment, inéluctable, où ce séducteur invétéré, lassé d'elle, la rejettera sans pitié ?

UN INCONNU TROP SÉDUISANT, *Kim Lawrence* • N°3358

Engagée pour garder un cottage durant l'été, Miranda espérait profiter du calme de la campagne anglaise pour réfléchir à la nouvelle vie qu'elle veut se construire. Un calme très relatif, puisqu'elle a la stupeur de se réveiller un matin avec un inconnu dans son lit ! Un inconnu qui s'avère être le neveu de la propriétaire, et qui semble n'avoir *aucune* intention de quitter les lieux. Si elle ne veut pas renoncer à ce travail, Miranda comprend qu'elle va devoir cohabiter avec cet homme dont l'arrogance, mais aussi la beauté virile, la perturbent au plus haut point…

ENTRE DÉSIR ET VENGEANCE, Sara Craven • N°3359

En se faisant engager chez Brandon Industries, Tarn n'avait qu'une idée en tête : rendre fou de désir Caz Brandon, le P.-D.G., avant de le rejeter publiquement. Autrement dit l'humiliation suprême pour ce don Juan, qui n'a pas hésité à profiter de la naïveté de sa jeune sœur pour la séduire... Mais dès leur première rencontre, Tarn a la stupeur de découvrir en Caz un homme qui n'a rien à voir avec le séducteur sans morale qu'elle imaginait. Une découverte qui la déstabilise et la trouble. Comment pourra-t-elle, dans ces conditions, exécuter son plan... jusqu'au bout ?

LE SECRET DE JAKE FREEDMAN, Emma Darcy • N°3360

Lorsqu'elle rencontre pour la première fois Jake Freedman, le nouvel associé de son père, Laura est aussitôt sur ses gardes. D'abord parce que ce brillant homme d'affaires, arrogant et sûr de lui, est précédé d'une sulfureuse réputation de séducteur. Ensuite parce qu'elle a du mal à croire qu'il veuille investir son temps et son argent dans l'entreprise familiale. Alors, que cherche vraiment Jake Freedman ? Décidée à découvrir la vérité sur les véritables motivations de ce dernier, Laura sait aussi qu'elle va devoir résister à tout prix à l'attirance irraisonnée qu'il lui inspire...

ENCEINTE D'UN SÉDUCTEUR, Heidi Rice • N°3361

En acceptant de passer deux semaines avec Mac Brody, le célèbre acteur de cinéma, Juno pensait pouvoir profiter sans arrière-pensée de cette parenthèse enchantée, sans imaginer une seule seconde que sa vie serait à ce point bouleversée. Car non seulement elle est tombée éperdument amoureuse de cet homme beau à se damner, habitué à fréquenter les plus belles femmes du monde, mais elle est enceinte de lui ! Comment réagira Mac, lorsqu'elle lui apprendra qu'elle attend son enfant ?

PASSION DANS LE DÉSERT, Carol Marinelli • N°3362

En se rendant auprès de sa sœur, princesse de Zaraq, Georgie sait qu'elle va revoir au palais le prince Ibrahim, l'homme dont elle est amoureuse, mais qui a toutes les raisons de la détester. N'a-t-elle pas dû le repousser, quelques mois plus tôt, sans même pouvoir lui donner un mot d'explication ? Mais une fois sur place, Georgie a la surprise de se voir proposer par Ibrahim une excursion de quelques jours dans le désert. Une proposition qu'elle n'ose refuser, mais qui la plonge dans l'angoisse. Quand elle sera seule avec lui, pourra-t-elle continuer à lui cacher les sentiments qu'il n'a jamais cessé de lui inspirer ?

UNE ALLIANCE SOUS CONTRAT, *Sharon Kendrick* • N°3363

Lily retient avec peine ses larmes de colère et de désespoir. Ainsi, Ciro d'Angelo, cet arrogant homme d'affaires italien, est le nouveau propriétaire de la maison familiale où elle a grandi ! Une demeure que Lily croyait avoir héritée de son père mais que sa belle-mère s'est visiblement empressée de vendre sans rien lui en dire. Que va-t-elle devenir si Ciro lui demande de quitter les lieux ? Où ira-t-elle, avec son jeune frère dont elle a la charge ? Mais alors que le désespoir menace de la submerger, Ciro lui fait une incroyable proposition : elle pourra rester dans la maison de sa famille, à condition de l'épouser...

UNE EXQUISE FAIBLESSE, *Anne Oliver* • N°3364

Emma est stupéfaite. Comment Jake Carmody ose-t-il lui faire des avances, alors qu'il n'a jamais daigné lui accorder un regard par le passé S'il croit qu'elle est toujours la jeune fille naïve et inexpérimentée d'autrefois, follement amoureuse de lui, il se trompe : hors de question qu'elle cède à ce play-boy sans scrupules ! Et de toute façon, n'a-t-elle pas décidé de se consacrer exclusivement à sa carrière professionnelle Mais lorsque Jake lui propose une escapade romantique de quelques jours, loin de Sydney, Emma sent toutes ses résolutions s'évanouir...

LE PARI D'UN MILLIARDAIRE, *Kate Hewitt* • N°3365

- *La couronne de Santina - 3ᵉ partie*

Quand Ben Jackson, le célèbre milliardaire, la met au défi de participer à un ambitieux projet caritatif, Natalia sait qu'elle tient enfin une occasion de prouver qu'elle n'est pas l'héritière capricieuse et gâtée, comme tout le monde le pense. Pour une fois, elle sera digne de son titre de princesse de Santina ! Et par la même occasion, elle effacera, sur le visage de Ben, ce sourire narquois qui l'irrite tant. Même si, elle le sait, travailler avec cet homme arrogant et insupportable sera pour elle une véritable épreuve...

Attention, numérotation des livres différente
pour le Canada : numéros 1799 à 1804.

www.harlequin.fr